JN120259
キュウリ栽培
キュウリ栽培全般（露地栽培、ハウス栽培）
野菜作りコンサルティング

目次

諸言

キュウリという作物は、一般的に日本では多く作付けされ、営利的に栽培する方もいれば、簡単に家庭菜園で作る方もいます。私も４０年以上、キュウリと付き合ってきましたが、栽培の難しい野菜です。営利的に栽培していて、収穫量に大きな差があり、多く収穫する方もいれば、僅かしか収穫できない方もおられます。病気の発生も栽培している生産者で大きな差が出ています。作型もハウス栽培では、促成栽培、半促成栽培、無加温促成栽培、雨よけ栽培、抑制栽培、越冬栽培といろいろあります。露地栽培でも、トンネル栽培、普通露地栽培、露地抑制栽培などに分けられます。また、その作型において、それに合った品種が数多く存在しています。

キュウリはなぜ栽培の難しい野菜と言われるのか考えてみますと、親蔓がまず伸びて、その親蔓の各節から子蔓が発生し、伸びた子蔓にも孫蔓が伸びていく、次々と枝を出して生育していく野菜です。その枝の節には、雄花、雌花のどちらかが着く雌雄同株です。その節に着く雌花の数が多いと収量が上がってくると言われますが、管理によっては、雌花の少ない品種でも収量が上がる場合もあり、雌花着果の強いからといって収量性があるとはいえません。つまり、栽培期間を長くすることが収量性をあげるポイントではないでしょうか。枝を後半まで、よく発生させることが収量を上げることにつながります。また、枝のどの節に雌花が着くか決まっていませんので、この点が難しいと言われています。枝の発生をいつまでもよくするには、圃場の地力（土壌の性質など）、与える肥料の量や種類、水分管理などさまざまな要因があります。さらに、病害虫の発生をいかに抑えるかが大切になっています。まだまだ他にも考えられる要因があります。キュウリの樹を長く草勢を維持することが、最大の収量アップにつながるのではないでしょうか。後で、管理について説明します。

キュウリは、世界中の人が食べている野菜の１つで、国によって、その形が異なっています。私たち日本人が食べているキュウリは、長さが２０ｃｍくらいで、太さが２．５～３ｃｍの細い円筒形のもので、奈良時代に中国の華南地域から伝わったものです。実際、栽培して食したのは、江戸時代です。日本には、各地でいろいろな特性を持った在来のキュウリがあります。さまざまな外国から日本に渡って、その地に定着して在来種になったと思われます。その数５０種以上あります。現在ではほとんどが姿を消しています。ロシアから渡ってきたスライス系品種、中国から渡ってきた華北系品種、中国の南部から渡ってきた華南系品種、東南アジアから渡ってきたピックル系品種などで、それぞれの品種が当時の農家が自家採種して昭和時代まで在来種を維持してきました。農家の自家採種は、畑に種子を播き、その畑で生育が旺盛で果実が多くなり、果形のよいものを採種し、次の年にその選んだ種子を播く、この繰り返しによって、どんどんと特性が固定されて、その土地に合ったキュウリ品種が出来ることになりました。

世界のキュウリの用途で、お隣の中国では、日本と同様なキュウリを食べている地域と短形のずんぐりした果形のものを食べている地区もあります。東南アジアでは、短形種が多く、ピクルスにも用いる品種もあります。中東では、ベータ型と呼ぶ、果実の長さが１０～１２ｃｍのイボがほとんどないくらい低いもので、果実に光沢が強い品種です。ヨーロッパでは、果実の長さは２０～２５ｃｍで、イボが低い品種で、低温日照不足でもよく果実が着果して肥大する英国温室型キュウリが北ヨーロッパでは食べられています。南ヨーロッパでは、スライス型の品種が多く、果実は太くて、光沢がないものが多いです。また、ピクルスの品種も作られています。アメリカでは、スライス型のキュウリが多く、薄くスライスして、ハンバーガーに挟んで食べられています。このように、形状は違いますが、キュウリは世界中で食べられている野菜です。

日本のキュウリの品種の変遷は、昭和の中ごろまで地方に作られていた在来種であります。しかし、現在ではほとんど姿が消えてしまっています。

昔のキュウリ栽培は露地栽培で、地這栽培や竹などを支柱にした栽培をしていました。在来種として「芯止め」などの北支系品種が用いられていました。枝の動きがよいので、栽培上旺盛になるために作られていました。その後、低温期の栽培で、大きな箱のような木枠で囲ったところにキュウリを植えて栽培しました。保温に用いたのは油紙で、現在のビニール代わりに使っていました。しかし、昭和２０年代後半にビニールが作られて促成栽培は大きく前進しました。その後、パイプハウスを作り、ビニールで覆ってその中にキュウリを栽培するハウス栽培をするようになりました。その閉鎖されたところに、露地系の品種を作ると、枝が伸びすぎて過繁茂になり、栽培が難しくなり、枝の動きの少ないもので、雌花の着果が強い品種を用いるようになりました。品種として、「夏節成」、「針ヶ谷」などが使われました。

昭和４０年代になると、種苗会社からハイブリッド品種が育成され、露地では「新光Ａ号」、「北星」が作られ、ハウスでは「光３号Ｐ型」、「王金促成」が栽培されて収量が大きく伸びました。現在はほとんどがハイブリッド品種になってきています。

キュウリにはイボがあり、白イボと黒イボの２種類で、古くはどちらのイボでも市場流通していましたが、昭和５０年代前半から白イボキュウリが主流になり、各種苗会社も白イボキュウリのハイブリッド品種を育成するようになりました。露地では「南極１号」が日本中に広がり、ハウスでは「女神２号」が空前のブームとなり広く作られました。このころのキュウリは、現在のキュウリとは異なり、果実に白い粉（ブルーム）が着いたものでしたが、昭和５０年代後半に、果実に白い粉が着かなくなる台木が育成され、カボチャ台木の「輝虎」が発表され急激にブルームレスキュウリが市場に広がりました。現在では、ほとんどの生産者は各種苗会社が販売されているブルームレス台木を使いブルームのないキュウリを栽培しています。

ブルームレスキュウリは見た目に美しく、貯蔵性も高くなりましたが、その反面、食味が大きく低下しました。おいしいキュウリを提供する生産者は、一部、ブルームキュウリを栽培しています。差別化商品として出荷しています。また、ブルームレスキュウリを栽培するようになって、出荷量は減少していきました。しかし、このブルームレスキュウリは消費者からは人気を集めました。理由として、ブルームを農薬と見てしまうため、ブルームレスは農薬が着いていないと消費者は見ていたのです。そのために、ブルームレスキュウリはすごい勢いで広まっていきました。次に、キュウリの品質をさらにアップしたワックス系と呼ばれる品種が育成されました。ワックス系キュウリは光沢がよく、市場ではワックス系キュウリを指名するようになり、全国に広がっていきました。そのため、さらに収量が低下し、生産者にとっては、さらに難しい管理を課せられました。

日本人は野菜の規格に執着していて、キュウリでは、曲がったもの、光沢のないものなどは売れないとの意識が強く、市場、仲卸、スーパーなどは品質重視が強いです。そのため、規格を揃えるために出荷に費やす時間は計り知れません。規格をゆるくして出荷するような体制を考えるべきです。その栽培管理が大変なキュウリの作り方について、説明します。

キュウリ栽培において、圃場の土壌管理、育苗、肥料設計、定植の準備、定植直後の管理、主枝ピンチまでの管理、整枝方法、摘葉、追肥、水管理などいろいろな仕事があります。それ以外に、病気や害虫などが発生した場合の防除方法など必要となります。また、特に、生育中の生理障害についても考えていく必要があります。果菜類の栽培は期間が長いので、いろいろな問題に遭遇していきます。それらの栽培管理について順次説明していきます。

本文中の※の印は巡回指導の際に話した内容を述べたものです。

前田泰紀　著

◎育苗

圃場の準備に入る前に苗の準備に入ります。

●育苗管理

近年、購入苗がほとんどになり、注文して納期に植えれば、労力の逓減になり、多くの生産者は購入苗を用いられていますが、育苗技術として説明をします。

培土の詰め方

播種箱に培土を詰める前に行う作業は、培土に水を与えて培土に適度な水分と空気を混ぜます。培土に水を与えて、よく混和してから、播種箱に詰めます。

発芽には、水と空気（酸素）が必要です。

※市販の培土は１リットル中に２００ｍｇの窒素が含まれているものを使います。

培土の攪拌

キュウリは接ぎ木苗

キュウリは自根栽培が少なく、多くは接ぎ木をして苗を作ります。穂木、台木とも播種箱に播き、幼苗を作り、接ぎ木してからポットに移植します。

播種

播種する場合の種子の深さは、一般的に種子の厚さの３倍の深さとなります。浅く播きますと地表面に根が出てしまいます。

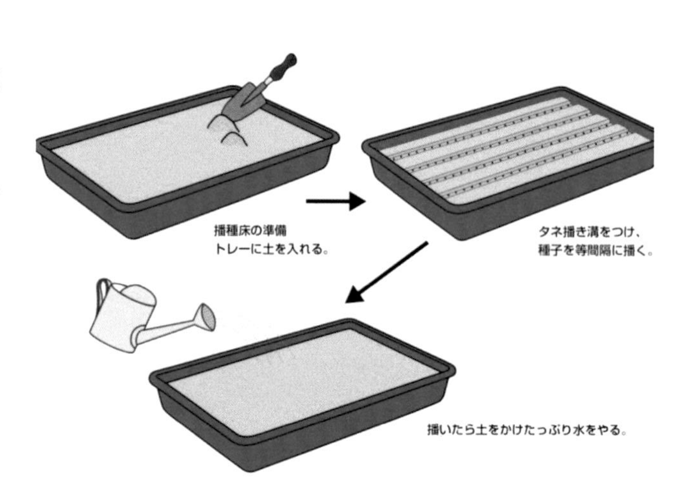

播種したら覆土をしてから必ず鎮圧をします。鎮圧後に十分なかん水を行なって、新聞紙で覆います。

低温期の育苗床の地温は、２５～３０℃程度に保ちます。

発芽を確認しましたら、新聞紙を取り除き、地温を２０～２３℃に下げて徒長を防ぎます。

※ブルームレス台木カボチャは水分を多く与えますと、発芽が悪くなります。西洋

カボチャとは違いますから注意します。

胚軸の徒長に注意

３～４日経過しますと発芽します。発芽が確認できたら、地温を少し下げます。高い地温のままにしますと、胚軸が伸びすぎて、徒長した胚軸は接ぎ木がしにくいので、胚軸の長さが伸びないようにします。

※発芽して、子葉が展開するまでに地温を下げて欲しいです。胚軸の長さは３～４ｃｍが理想の長さになります。短い胚軸は、苗が完成して植える時に手間がかかります。

接ぎ木の育苗床

育苗管理はハウス内に育苗床を作ります。幅が１２０ｃｍの木枠を作り、その木枠の中に、まず藁などの断熱資材を敷きます。その上に電熱線を張ります。電熱線は１ｋｗの３相がお勧めです。電熱線を張ったら、その上から土を入れて、電熱線が隠れる程度の土を入れます。電熱線が隠れたら、その上をポリビニールで覆います。次に、木枠で作った育苗床をビニールで覆うために、太い鉄線でトンネルを作ります。間隔は２０ｃｍ程度でよいです。トンネルはかまぼこ型ではなく、水平（平床）にします。トンネルの高さは１０～１５ｃｍでセットします。

※育苗床のトンネルは平床にするのは、トンネル内の湿度の均一性を保つためです。かまぼこ型では湿度が一定になりません。

接ぎ木

子葉が展開してくれば、接ぎ木を行いポットに移植します。接ぎ木方法には色々な方法があります。それぞれの方法で接いだものをあらかじめ用意したポットに移植して、育苗床に並べて置きます。移植した直後から活着するまでは、地温を高く管理します。地温は２６～２８℃のセットにして、活着を確認したら２～３℃地温を下げます。

※接ぎ木の方法は、呼び接ぎと挿し接ぎがありますが、比較的活着がよいのは呼び接ぎです。挿し接ぎは湿度を１００％にしないと活着が悪くなりますので、呼び接ぎをお勧めします。呼び接ぎの方が主枝に着く雌花が多くなり、草勢はおとなしくて管理がしやすいです。

育苗床の管理

育苗床の湿度管理は接ぎ木した苗を毎日、朝、昼、夕方とビニールを剥いで苗の状態を見ます。乾いていれば農薬散布器で霧状の水を苗に散布します。ポットには絶対に直接かん水をしません。水を散布したらビニールで覆います。育苗床の横から隙間風が入らないようにします。接ぎ木した次の日からの管理は朝日が昇ってから９時ころまではビニールの覆った状態で太陽光線を浴びせます。床内の気温が上がってきたら、ビニールの上にこも（断熱材）などで遮光します。夕方も３時くらいから太陽光線を浴びせます。太陽が沈んだら、こも（断熱材）などで覆って保温します。太陽光線を与えることで、子葉で光合成が行われ、穂の生育をよくします。

※説明してあるのは、呼び接ぎの管理です。特に、活着するまで、育苗床を密閉して、光も与えない方が多いですが、朝と夕方の光は必ず与えます。接ぎ木したばかりの苗でも光合成は行っています。また、朝と夕方にはトンネルを開けて、フィルムに付いている水滴を落としてからトンネルをします。水分過多は立ち枯れの原因となります。

活着からの換気

換気を少し始めてみて、萎れなくなれば、ビニールを外してハウス内の空気に触れさせます。触れても萎れなくなれば活着となり、地温を徐々に下げていきます。活着したらポットにかん水します。今までかん水をしていないので、ポットの培土は乾いているので水を与えます。

※換気を始めるのは夕方からにして欲しいです。朝や日中に行いますと、せっかく活着した穂が萎れてしまいます。換気を行ったら、鉢かん水を多めに行って欲しいです。活着をさせるために水を控えていましたから、換気をしますと萎れやすくなります。

鉢ずらし

その後、苗が本葉２枚の大きくなったら、ポットの間を開ける鉢ずらしを行います。ポットとポットの間はポット半分以上の間隔を取ります。育苗床の温度も徐々に下げて馴化させます。

※鉢ずらしの大きな目的は苗の徒長防止です。販売している苗でも節間の長いものがあります。鉢ずらしが行われていない可能性があります。

接ぎ木苗の管理

低温期では、育苗ハウスの夜間気温も下がりますので、育苗床に被覆材などで暖を取ります。

育苗中のかん水は徒長しやすいので、朝のかん水はたっぷりと与えますが、昼にポットの乾き具合をみて、乾いていれば夕方までに乾く程度のかん水をします。夕方のかん水は基本的に行いません。

温度の高い夏の夕方のかん水は徒長苗に繋がります。水分が多い管理をしますと、地上部の葉は細くて長くなり、地下部の根の張りが悪くなり定植後の活着が遅れます。

※鉢かん水を出来るだけ少なくします。控えめのかん水は鉢根が多くなります。

高温時には遮光

高温時には、苗が萎れやすいので、育苗床に寒冷紗などで遮光して苗を強い光から守ります。

※強い光線から守ることはよいですが、徐々に光線に当てて、苗を強い光線に馴らすことがよい苗を作る条件です。

葉色が淡くなったら

育苗後半になりますと、培土によって肥料不足で葉色が淡くなる場合があります。葉色が淡くなったと感じたら、薄い液肥を与えます。

※キュウリ苗は本葉が５～６枚程度は我慢できます。定植適期の苗で植えて欲しいです。

子葉は老化させない

子葉は本葉の生育に働いています。子葉は定植後まで健全に残すことが定植後の活着を良くします。鉢かん水が多いと子葉の黄化に繋がります。

子葉、根、本葉の関係について、根が母で、子葉が父で、本葉が子供です。父の存在が生育に大きな影響を与えます。

※子葉の色を見て、育苗の管理をします。

定植適期の苗

本葉が３～４枚程度が理想な苗です。

苗を作り始めたら、定植する圃場の準備に取り掛かります。

悪い例を紹介しますと、圃場の準備が遅れて苗が大きくな

り、定植が遅れますと活着が悪くなり、活着後の生育も悪くなりますので、収量が大きく低下します。

※定植苗を見る場合に、鉢根の張っている状態と鉢根の色を見ます。特に、鉢根が褐色気味でいたら、老化が進んでいます。葉が大きくて、茎が太くてガッチリしている窒素過多の苗は見た目にはよいのですが、病気の発生が早いので、葉が比較的に小さく、葉色も淡い方が定植後の活着もよいです。苗が肥料に対して飢えているので、定植後の肥料吸収がよくなります。

◎土壌障害の改善について

●障害の見分け方

カリ過剰の葉

キュウリを長く栽培していますと、葉にマダラ模様の濃淡がよく見られます。これは症状としては苦土欠となりますが、土壌にはカリが多くなっているカリ過剰障害です。また、葉の周辺が枯れてしまう落下傘葉となる石灰欠乏もよく見られます。

障害が前作で発生していれば、元肥設計に過剰になっている肥料の量を控えます。

※今、連作圃場が増えてきています。残肥から発生する濃度障害が多いです。前作のキュウリの生育を思い出して、肥料の過剰から起こる生育をしていたら、施肥量を考えて欲しいです。最近のキュウリ圃場には、葉色の正常なものが少なくなってきています。土壌検査をして欲しいです。

●塩類濃度障害

キュウリを同じ圃場で栽培していますと、圃場に残肥が多くなり、キュウリの生育が悪くなってきます。多くはカリ肥料です。露地ではハウスに比べて塩類濃度障害は出にくいですが、カリ肥料だけは雨でも流亡しにくくて土壌中に残ります。土壌中のカリ肥料が過剰に存在しますと、マグネシウム（苦土）の吸収を抑えますので、葉にマダラ模様の障害が発生します。マグネシウムの欠乏が続きますと光合成の能力も低下しますので、収量にも大きく関わってきます。

※どの野菜でも同じ圃場に毎年同じ野菜を作りますと塩類濃度障害が起こります。特に、ハウスキュウリ栽培では、塩類濃度障害が出やすいです。毎年の土壌分析をお

勧めします。キュウリが必要とする以上に追肥をしますと、残肥として残ります。

●除塩の方法（湛水）

ゴボウ圃場の湛水処理

除塩には湛水方法があります。ゴボウなどを栽培した後に、圃場に水を十分に流し込み溜めます。満水にして３ヶ月間水を溜めた状態を続けます。残肥が水より重いので沈んで土壌深く浸透していきます。徐々に残肥が浸透して地下水に流れ込みます。地下水に流れ込むのに３ヶ月を要します。１ヶ月くらいでは残肥が地下水まで達しないので、湛水を１ヶ月程度で止めますと残肥が徐々に毛管現象で地表面に上がってきますので除塩にはならないのです。ゴボウの老廃物を流して、きれいな土壌にするには３ヶ月はかかります。

※ハウス栽培の方に、除塩をお勧めします。ハウスに水を流し入れて、田んぼと同様に代掻きをします。一度ではなくて定期的に代掻きをします。湛水の期間は２～３ヶ月かかります。

●緑肥を使った除塩

生育中の「ハルミドリ」

露地キュウリ栽培が終了した時点で、キュウリの残渣を片付けて、圃場を均一にしてライ麦の「ハルミドリ」（カネコ種苗）を播きます。翌年の４月になれば生育が旺盛になり、草丈が５０ｃｍ程度に生育したら、刈り取って圃場から出します。塩類濃度障害のない圃場であれば鋤き込みます。「ハルミドリ」が緑肥となりますので鋤き込みます。

「ハルミドリ」を生育させて刈り取る時点の生重は3トン（１０アール当たり）となり、土壌中から窒素成分で１２ｋｇ、加里成分で２２ｋｇを吸収します。

キュウリを栽培していると、栽培している耕作土壌の下に硬盤が形成されて、根張りが悪くなります。緑肥作物である「ハルミドリ」の根は７０～１００ｃｍくらいまで根が深く張り、徐々に、硬盤を崩していきます。

※水での除塩が出来ない場合には、緑肥を利用します。ライ麦の一種の「ハルミドリ」（カネコ種苗）を使います。播種方法は１０アール当たり１０～２０ｋｇの種子を用意して、圃場に均一に播き、トラクターなどで種子を浅く土と混ぜます。発芽は３～４日かかります。

◎圃場の準備

●露地圃場の準備

圃場には、１０アール当たり、堆肥を３トン入れ、苦土石灰を１５０ｋｇ入れよく耕耘して土となじませます。切り藁などを入れるのもよいです。元肥として、１０アール当たり、肥料成分でＮ：２５～３０ｋｇ、Ｐ：３０ｋｇ、Ｋ：２５ｋｇで、油粕を２００～３００ｋｇ入れると団粒構造がよく出来ます。

堆肥を入れる理由として、キュウリを栽培するには、よく言われる腐食の量が多いほど、微生物が多くなり、団粒構造もよく発達します。また、土壌中に眠っているアルミニウムと結合した苦溶性リン酸を腐食が切り離して、水溶性リン酸にしてキュウリが吸収することができます。１トンの堆肥から１００ｋｇの腐食が得られます。キュウリを栽培するのに必要な腐食の量は２００～３００ｋｇですから、２～３トンの堆肥を入れる必要があります。

油粕も肥料としてではなく、土壌改良が大きな目的として用います。昔、農水省が土壌改良剤として指定していたのが油粕です。１０アールの圃場に対して２００～３００ｋｇ入れることで、土壌の改良となります。腐植が微生物の餌となり、微生物により団粒構造が発達します。

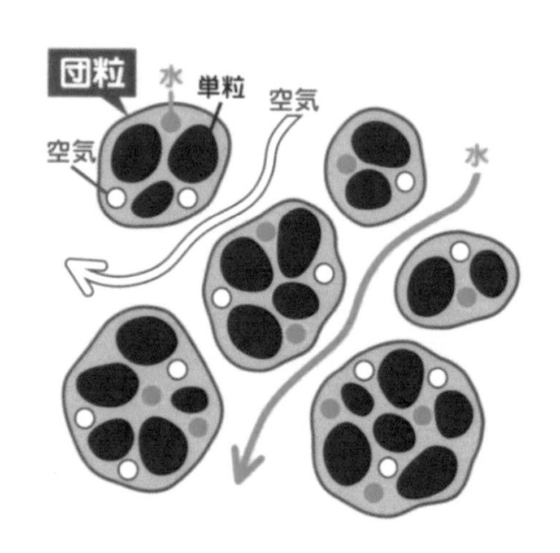

よく団粒構造が重要であると言われます。小さな土の粒子を結合させて、大きな団粒を作ります。大きな団粒と団粒には大きな間隙が出来ます。この大きな間隙には、水、肥料、空気が保たれ、根の張りをよくします。根の張りがよいとキュウリの草勢が旺盛になり、栽培する期間も

長くなり、最終的には収量増につながります。

※団粒構造を作ることが、どの野菜作りにも大事なことになります。特に、キュウリは栽培期間が長く、根の酸素要求量も高い野菜になります。いつまでも根に酸素が多く送られれば、長期栽培となり、収量も多くなります。最近、油粕を使う方が少なくなりました。是非、使って欲しいです。

●切藁の効果

圃場に切藁を投入することで、有機物を入れて圃場を肥沃にする効果がありますが、それ以外に、土壌の通気性を高める効果もあります。肥沃と通気性は昔から言われていて切藁を投入していましたが、近年、色々な土壌改良資材が販売されるようになり、生産者は藁を圃場に入れる方が減ってきました。藁のもう１つの効果として、藁には多くの微生物が存在しています。たとえば、納豆菌、酵母菌、乳酸菌などで、これらの微生物が土壌に多く存在していますと、病原菌（蔓枯病、根腐れ病など）との拮抗作用で、土壌病害の発生を抑えることに繋がります。藁の投入は健全な土作りに役立ちます。

※最近、切藁を圃場に入れる方が少なくなっていますが、昔の露地キュウリ栽培では必要な資材でした。切藁は分解もゆっくりであるため、土壌に隙間がいつまでもあり、根の張りも良かったです。ただし、藁を圃場に入れたら窒素飢餓には注意が必要です。

●キュウリの肥料吸収パターン

キュウリの肥料吸収は栄養生長と生殖生長が同時に進行する野菜で、安定した肥効が求められる肥料吸収となります。キュウリのような栽培期間中に、常に肥料を吸収できるような元肥と追肥の施肥設計を考えることが望ましいです

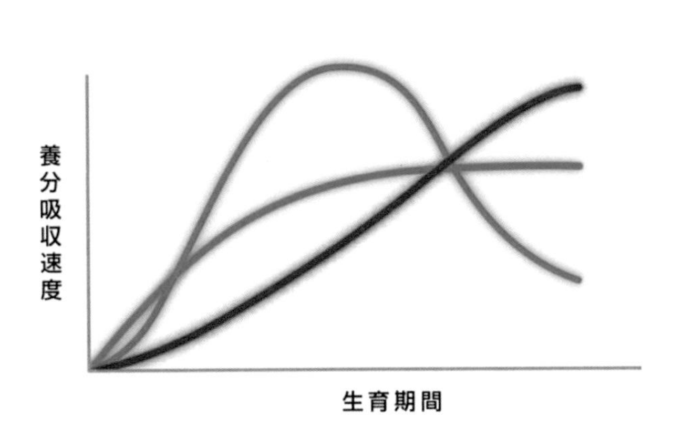

━線はキュウリの肥料曲線です。栄養生長と生殖生長が同時に進行するキュウリには、安定した肥効が求められます。

※キュウリは常に肥料を必要としている野菜です。緩効性肥料も元肥に入れる必要があります。

●酸素供給剤を圃場に投入

キュウリの栽培を始めてしばらく経過しますと、生育が段々と弱くなってきます。土壌の団粒構造が崩壊し始め、土壌の間隙が少なくなり、根は徐々に酸欠状態となってきます。天気のよい日になりますと、葉が萎れて生育が悪くなってきます。特に、長期栽培をしているキュウリでは、土壌の酸欠になりやすいです。キュウリは酸素供給量の高い野菜ですから、積極的に土壌に酸素を供給する必要があります。最近、酸素供給剤の粒状が販売され、元肥と一緒に土壌に混和しますと、４ヶ月くらい酸素を土壌中に出し続けます。大雨などで土が締まっても土壌中に入れた酸素供給剤の働きで、土壌中に酸素が十分に行き渡り、キュウリは萎れずに順調な生育を示します。

使用方法は簡単で、１０アールの圃場に、元肥と一緒に粒剤の酸素供給剤を３０～４０ｋｇ入れて混和するだけです。

※粒状の酸素供給剤を元肥と一緒に圃場へ投入することで、3～4か月以上土壌中に酸素を供給し続けます。キュウリ以外にどの野菜にも適用します。キュウリ圃場の土壌の粒子が細かい場合に、勧めたい改良材です。圃場に水が溜まりやすい方には特に勧めたいです。

●露地圃場の肥料施肥

キュウリの施肥は、栽培期間中を通して肥効させる必要があるため、収穫期間中は常に追肥を行う施肥となります。途中で肥効が切れますと、収穫している果実などの形状が悪くなり、収量の低下を招きます。追肥だけでも肥料が不足する場合がありますので、緩効性肥料などを元肥に加えておきますと、３ヶ月程度と長く肥効があり、肥料切れを防ぐことができます。

※キュウリなどは、緩効性肥料を待ち肥として有効です。定植した後に、畝の肩当たりに、杭などで深さ２０～２５ｃｍの穴を開けて、その穴に緩効性肥料を２００ｇ程度入れておきます。根がその肥料の周辺に集まってきます。

●キュウリ栽培の待ち肥の効果

キュウリ苗を定植した後に、畝の肩に、キュウリの株と株の間に深さ２０ｃｍ程度の穴を開けて、緩効性の肥料を１５０～２００ｇを入れる施肥を待ち肥と呼びます。また、キュウリ苗を植えてから活着をして、本葉が８枚までに、畝の肩近くの通路に緩効性肥料を施して、管理機などで浅く耕耘することも待ち肥と言います。

待ち肥はどのような効果があるかを説明しますと、収穫が始まりますと、生産者の

待ち肥えをした栽培後半の生育

方は追肥を施します。当然、与える肥料は速効性肥料になります。速効性肥料は水に溶けやすいために、土壌に吸われていき、キュウリの根から吸収させます。追肥の間隔をみますと、７日前後で追肥をします。与えた直後は肥料濃度が高いですが、次に追肥をする直前の土壌中の肥料濃度はかなり低くなっています。つまり、７日間の追肥の肥料濃度は最初が濃く、段々と薄くなっていきます。収穫が始まって２０～３０日程度は元肥でキュウリの草姿には大きな影響もなく収量もあります。これはキュウリの株が若いために養分も体内に蓄積させているので、収量には響かなく、果形のよいものが多く収穫できます。中盤からの生育には、この土壌中の肥料濃度の変化が生育に影響を与えますし、栽培している圃場の土の表面も硬くしまってきますと、追肥の速効性肥料も通路に施しても土壌に吸収させる量も少なくなり、追肥効果も低下します。そのために、緩効性肥料の待ち肥の効果があり、待ち肥の緩効性肥料は施してからゆっくりと溶脱して、３ヶ月程度の長い期間で肥効します。速効性肥料の追肥で、土壌中の肥料濃度が下がった時に、補助的に待ち肥が働きます。土壌中の肥料濃度の安定性を高めます。そのために、後半の生育も低下せず、栽培期間も長くなります。収穫する果実の秀品も高くなります。この緩効性肥料とはＩＢ化成Ｓ号で、ＩＢ化成Ｓ号の成分は窒素、リン酸、カリが各１０％含まれています。特に、考えられるのはリン酸分であります。速効性のリン酸肥料は与えたときにはキュウリに吸収出来ますが、１０日後には土壌に吸着されますので、キュウリには吸収される量は少なくなります。ＩＢ化成のリン酸は肥料の形状からゆっくりと溶脱するために、土壌に吸着される量も少なく、キュウリにはよく吸収が出来るのです。

ここで、リン酸肥料の効果を説明しますと、リン酸イオンは根から早く吸収され、キュウリの体内で移動も早く、細胞分裂をしている組織に集中的に分布していて、生長に大きく関与しています。キュウリの細胞増殖や生長などの重要な働きがあり、吸収が低下しますと生長も低下します。つまり、枝などの伸長や分枝に影響を与えます。その他に、花芽分化にも影響して、充実した花を作り、花を咲かせてよい果実を成らせたりするのに必要な成分です。花肥とか実肥とかとも呼ばれています。リン酸肥料が少ないと花や実が小さくなり、その数も少なくなります。過剰の場合には弊害が出にくいですが、鉄や亜鉛の吸収を妨げることがあります。リン酸肥料は物質代謝やエネルギー代謝などの中心的な役割をしています。

栽培の後半で、リン酸肥料の吸収が少なくなりますと、草姿が弱くなり、収量も少なくなっていきます。そのために、ＩＢ化成Ｓ号は後半までリン酸肥料をゆっくりと溶脱して、キュウリによく吸収され、よい草姿を長く保つことが可能となります。

待ち肥として施したＩＢ化成Ｓ号のリン酸肥料は徐々に溶脱するため、土壌に吸着されずにキュウリの根から吸収され、リン酸肥料が有効に利用されると思われます。水耕栽培での肥料は吸着がないので、少量の肥料で十分に働きます。

●露地栽培の畝作り

露地栽培では、低温期に定植する場合には定植前１０日に畝を完成させて、地温の確保を行います。畝幅は８０ｃｍくらいがよいです。

マルチの資材として、色々なものがあります。トンネル栽培などの低温期に定植する場合には透明やグリーンのマルチ資材を用います。透明やグリーンなどは、太陽光線を畝に透過させて、吸収して畝の地温を上げますので、定植後の活着を早めます。気温が上がりキュウリの生育に適した時期では、黒マルチを使います。黒マルチは太陽光線を透過させないので、畝の地温の上昇を抑えます。黒マルチの大きな目的は畝の乾燥防止です。畝が完成したら、アーチを立てて、ネットを張り、定植に備えます。

※畝の高さは１５ｃｍ程度と高めにすると、畝の肩から空気が入り、根の動きが良くなります。マルチを張る前に畝にたっぷりの水を与えてからマルチを張って欲しいです。圃場の巡回で、活着後の生育が悪い場合に見られるのは、畝の乾燥があります。

●ハウス栽培の圃場の準備

ハウス栽培では、塩類濃度障害になりやすいので、肥料設計をするときに、土壌分析を行い、多く残っている肥料があれば、過剰になっている肥料の施肥量を控えます。しかし、リン酸肥料は土壌中に多く存在していても９０％以上は苦溶性リン酸肥料でキュウリにはすぐに吸収できない肥料ですから、元肥として、リン酸過剰と分析値が出てもある程度無視してリン酸肥料を入れます。

キュウリのハウス栽培には促成と抑制とに分けられますが、基本的な管理は同じです。

堆肥は定植２０日前に１０アール当たりに２～３トンを入れてよく土と馴染ませます。よく馴染ませてから１週間後に苦土石灰を１００ｋｇ入れ、元肥として１０アール当たり、窒素成分で２０～２５ｋｇ、リン酸成分で２５ｋｇ、カリ成分で２０ｋｇ入れます。長くキュウリ栽培を連作されている方は、前作で葉の症状を思い出して頂き、葉に濃淡のマダラ状の症状が出たり、葉脈が褐色になったりする障害が出ていますと、土壌中に窒素やカリが多く残っている場合が多いです。また、土壌の酸度が低い場合にもこのような症状が発生します。

堆きゅう肥には牛、豚、鶏と大きく分けて３つになります。どの堆きゅう肥でも同じと思っている方が多いですが、それぞれに肥効に差があり、キュウリに合うものは豚の堆きゅう肥です。豚糞堆きゅう肥は初期から肥効が始まり、長く肥効が維持できる堆きゅう肥です。キュウリ、ナス、トマトなどの長期の栽培には適しています。キュウリに適さない堆きゅう肥は鶏糞です。鶏糞堆きゅう肥は肥効が急激に上昇し、長くは続かない堆きゅう肥です。イモ類や軟弱野菜に適しています。

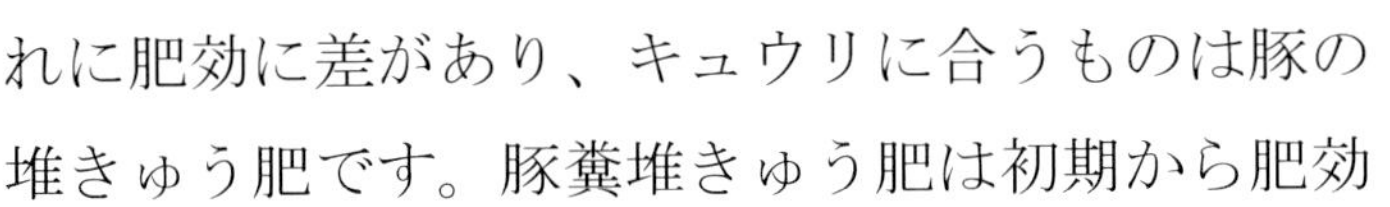

肥料を入れて土と馴染ませたら、畝を作ります。畝幅は８０ｃｍで、促成栽培では地温が低い時期ですから畝を高く作ります。高く作る理由は畝を高くすると地表面が多くなり、太陽光線がよく当たり地温の上昇が期待できます。

畝が作り終えたら、畝にかん水をして十分に水分を与えます。よく湿ったらグリーンマルチを張ります。

低温期の栽培には黒マルチを使わないようにします。グリーンマルチは太陽光線を通して、畝の内部まで温められます。黒マルチではマルチ資材の温度は上がりますが、太陽光線は透過しませんので、畝の内部の地温は上がりません。畝に十分な水分を与えることで、日中に太陽光線で得られた熱エネルギーを畝に蓄積できます。畝が乾いていますと、蓄積量は少なくなります。畝が湿っていれば、定植した苗の活着も早くなります。

※ハウスの土は乾燥していますので、塩分（肥料）が土壌表面に上がってきます。堆肥や肥料を入れる前に、ハウス内に水を流し込む、流水除塩をお勧めします。促成栽培が終了したら、すぐに除塩をします。ハウスにはセンチュウ類が多くいますので、センチュウ害がある圃場は、抑制栽培の前に土壌消毒をして、その後に堆肥を入れて欲しいです。センチュウは５０～６０℃まで地温を上げますとかなり減少します。

◎定植

●苗の状態

苗の大きさは、本葉４枚のものが理想です。本葉が２枚で定植しますと、親蔓に雌花が着きにくくなり、６～７枚の老化苗で定植しますと親蔓には雌花が多く着きますが、子蔓の発生が悪くなります。定植の時期を守ります。

苗の根はよく張ったものがよく、購入苗が届いたら根量をみて、根張りが悪い場合には、定植を遅らせて根量が増えたら定植します。

※子葉が青々とした健全な苗を植えて欲しいです。子葉は定植後、キュウリの本葉の１０枚程度までの生育に影響を与えますので、子葉が枯れている苗を植えますと、活着が遅れ、生育も悪くなります。

●露地栽培の定植

定植する株間は親蔓１本仕立ての場合に８０ｃｍくらいと広くします。狭くとりますと栽培の後半に過繁茂になり管理が大変になります。定植後に株元かん水は必ず行い活着を促します。株元かん水は多く行わず、株元が湿る程度でよいです。

最近、露地栽培で低段の側枝を伸ばす３本仕立てをする方が増えてきています。低段の第２節と第３節から発生する側枝を伸ばして、親蔓と子蔓２本の計３本仕立てになります。株間は１ｍ２０ｃｍ以上の株間を取ります。低段３本仕立てで栽培をしますと、秀品率が高くなり、１０アール当たりの収量も上がります。また、枝の動きもゆっくりとなりますので、管理作業が楽になります。

定植する植え穴には、アブラムシ、アザミウマ類などの防除のために粒状の殺虫剤を入れて、よく混和してから定植をします。

キュウリ栽培で多く発生してきているのが、黄化えそ病でミナミキイロアザミウマによって媒介され、感染しますと収量が大きく低下し、さらに、枯れてしまいます。

さらに、キュウリ自体が病気に対して抵抗性を高める効果が期待できるオリゼメート粒剤を入れてよく混和して定植します。

※最近、巡回指導で低段３本仕立てを勧めています。主枝と側枝で３本になり、各主枝になる枝から発生する枝がゆっくりと伸びますので、管理が楽になります。この栽培方法を実行した方の評価は高いです。露地栽培の定植は気温との闘いになります。毎年、気候変動があり、定植した後に低温になる日もあります。畝の地温が高く保っておけば、地表面の温度も高めになりますので、早朝の低温にも苗は比較的影響がないと思います。それには定植の１週間前までに畝を完成させておきます。

●ハウス栽培の定植

活着した苗

定植する１週間前に畝を作り、促成栽培の場合、十分に地温を上げてから苗を植えます。定植する株間は６０～７０ｃｍとします。１本仕立てでは畝に２条植えとします。２本仕立てでは畝の中央に１条植えとします。マルチの上から植え穴を開けます。植え穴の深さはポットの鉢土が埋める程度とします。深植えは行わないようにします。植え穴には粒剤の殺虫剤を入れてよく混和してから苗を植えます。定植は午前中に行うとよいです。

※抑制栽培の定植はハウス内の高温に注意が必要となります。気温が高い場合には、遮光を考えて欲しいです。促成栽培では、定植をして気温が日中に高くなってきます。そのときにハウスの換気をしますが、換気に注意して欲しいです。急激な換気をしますと葉焼け症が発生します。ハウス内の気温が高くなってもゆっくりとした換気をします。

●株元かん水

株元かん水

苗を植えた後には必ず株元にかん水をします。定植して１週間程度は根が鉢土の部分から畝の土には伸びてなくて、鉢土の水分で生育しています。最初の株元

かん水から３日後を経過しますと、植えた苗の株元を見ますと、白く乾いてきています。そのまま放置しますと萎れますので、乾いたら株元にかん水をして、１０日間は萎れないように３日間隔で株元にかん水をします。根が鉢土から畝の土に根が張り出して、自ら水を吸収してきますと早朝に葉を見ますと葉の周辺に水が付いています。

その葉水が確認したら株元かん水を止めます。株元かん水の回数は３～４回程度となります。

※圃場巡回で、株元にかん水するのは定植直後だけと思っている方が多いので、完全に活着するまでは、株元かん水をして活着を促して欲しいです。図のように、根が鉢土から畝に伸びるまでは株元かん水をします。

●雌花の分化

キュウリの主枝に着く雌花は、定植した時点の気温と乾燥に影響されます。定植苗が本葉４枚で植えますと、本葉４枚時には、１１節程度までの雌花と雄花の着生が育苗期の管理で決定されています。それから先の雌花の着生は定植後の環境で変化します。定植後の気温が低くて乾燥気味であれば、１１節から上の節には雌花が多く着くことになります。定植後に水分が多くて活着がよいと雌花の着生は少なくなります。

※キュウリの雌花着生は、低温と栄養状態で変わります。主枝に多く雌花を着けない方が栽培しやすいです。主枝に雌花が多く着いたら、３～４花の連続雌花の着花があれば、その連続しているところの雌花を１つ除去して欲しいです。草勢を強くするために行います。

●葉の障害について

定植する前の苗には全く葉に変化がなくてよい苗でしたが、定植して本葉が６～７枚によく葉の変形が出ます。生産者はびっくりしますが、育苗で子葉か本葉１枚時に強い低温や極度な乾燥に遭遇しますと奇形葉が発生します。一時的な障害ですから、生育が進むにつれて、正常な生育に戻ります。

苗の第１葉が黄化している場合が多く見られますが、これは接ぎ木のショックで、挿し接ぎに比較的多く見られる障害で、後の生育には全く影響しません。

※低温障害や乾燥障害の発生は、障害を受けた生長点（芯）から６～８節展開した葉に症状がでます。当然、育苗での障害は苗には現れず、定植後に本葉が７～８枚目に現れます。育苗時の障害が大きいと芯止まりになる場合もあります。

◎定植後の管理

●ハウスの定植後の生育障害

ハウスの被覆資材は色々とあります。昔はビニールでしたが、最近はＰＯフィルムや硬質ビニールなどを張っています。資材の違いでハウス内の湿度に大きな差が生じました。今多く張られている資材はＰＯフィルムです。ビニールとＰＯフィルムとの違いは湿度に関してはＰＯフィルムが少なく、光線透過ではＰＯフィルムが多いです。つまり、キュウリの初期生育に対してはビニールの方が優れています。ＰＯフィルムのハウスでは湿度が下がり過ぎるため、葉の展開が悪くなります。光線が強く当たるため葉温が上がり過ぎ、そのために葉焼けの症状が出ます。葉の周辺部が軽く焼けるために、葉の中央部は伸長し、周辺部は枯れているために伸長しませんので、葉は杯状のようになります。また、さらに乾燥しますと芯焼けが起こり、ひどい場合には主枝の伸びが止まります。定植直後の株元かん水が少ないと、活着不良となりキュウリ体内の水分が不足していて、葉の焼けがひどく現れます。

定植後の葉焼け

この症状が出た場合には、通路かん水を勧めます。通路かん水をすることによりハウス内の湿度を高めることで抑えられます。

ハウスの換気についても換気を強くしていても生育が進んでいる場合には問題はないですが、キュウリの本葉が１０枚以下の生育時では、活着が十分に行われていないため、湿度を高めに管理することが必要です。春作では、太陽光線が強くなり、ハウス内の気温の上昇が早くなります。人が早い時間にハウスに入ったら、暑く感じて換気を強くしますと、湿度が急激に下がるために萎れが発生します。この場合には葉は軽く焼けるために杯状になります。抑制栽培では定植時の気温が高くて常に換気をしていますから葉焼け症の発生は少ないです。

※ハウス内の日中の気温変化は露地より大きく、換気に注意して欲しい時期は早春です。ハウス内の気温は高くても野外の気温は低く、定植して活着をしてない場合に、ハウス内の気温が高くなった時点での急激な換気に注意が必要です。

●露地栽培の定植後の管理

活着して、生育し始めたら親蔓の下段に着いている雌花を８節まで除去するか、高さ４０ｃｍまでに着いている雌花を除去します。

主枝の下段の整理

下段の雌花を除去するのは、早くから果実を肥大させますと、中段の側枝の発生が著しく悪くなるために、下段の雌花を除去します。子蔓も６節まで早めに除去します。この作業は草勢を強くするために行います。

下段の子蔓は草勢が強く、放任しますと親蔓より伸びが旺盛になります。親蔓を強くするためには、下段から発生する子蔓は早く除去する必要があります。

※ここで、キュウリ栽培での主枝の下段の雌花除去ですが、なぜ、主枝の下段の雌花を除去するかを説明します。８節までの雌花を除去するより、畝の面から４０ｃｍの高さまでの雌花は全て除去します。キュウリは主枝に４～５節目に雌花が着いてきます。５節目に着いた雌花を除去せずに果実肥大をさせますと、その雌花が開花する時点で、主枝の本葉は１２枚程度です。まだ活着して日がなく、初期生育で養分を芯や脇芽に送り草姿作りをしている段階です。５節目の果実が肥大してきますと、養分は果実に多く流れて、芯や脇芽には少なく流れます。そのために、主枝の伸びは遅くなり、側枝の発生も弱くなります。そのような生育にならないように４０ｃｍまでに着いた雌花は全て除去して欲しいです。**この作業はキュウリ栽培で最重要な事項です。**

●活着後の生育診断

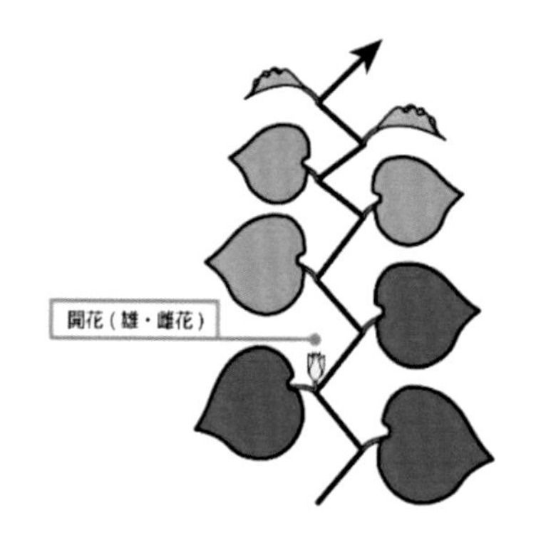

親蔓が１２～１４節まで伸びてきたら、花（雄花、雌花）の開花節位を見ます。順調な生育であれば、芯から下へ数えて、６～７節のところに開花していればよいですが、注意して頂きたいのは花の開花節位が芯から下に数えて４節で咲いていれば、活着不良となりますので、株元にかん水をするか、薄い液肥を与えて草勢を強くします。

活着の悪い株は、葉が小さくて葉色が濃くなっています。巻ひげも短くなっていて、正常な巻ひげは２０～２５ｃｍです。若い巻ひげには、生育の違いで硝酸態窒素の含有量に差があり、活着の悪い巻ひげには多く含まれていて、少し口に含んでみますと強く苦みを感じます。苦みによっても生育診断ができます。

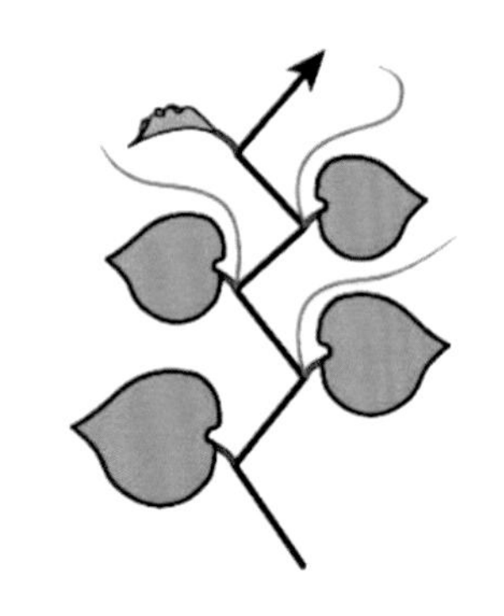

若い葉の色は日中において変化しています。朝に若い葉は色が淡くなっていますが、夕方に見ますと濃くなっています。この変化が大きい場合は順調な生育と言えますが、朝、夕とも濃い場合には活着不良となります。常に葉色が濃い生育をしている株は、葉が小さくて茎も細くなっています。

以上、示した症状を観察をして、この３つに当てはまらない場合は活着不良となりますので、再度かん水をよく行って根の動きを促します。

活着不良の草姿は、葉が小さくて葉色が濃く、蔓が細くなっています。巻きひげも１０ｃｍ程度と短くなっています。開花も早くなり、雌花が多く着いて肥大するために草勢が悪くなり、よい成績が得られなくなります。初期の診断を必ず行って欲しいです。

※圃場の巡回指導や圃場検討会などで、生育初期の圃場のキュウリを見る場合に上記に示した３つのポイントをまず見ます。最初に巻きひげを見て、まっすぐに伸びていて長いこと、次に、雌花の着いている位置、葉色の濃淡です。キュウリを栽培している方にお願いします。早朝に圃場に行って、この３つのポイントを見て欲しいです。この３つのポイントが満たされてない場合は、活着不良ですから、生育を良くするために、再度、株元かん水をしたり、薄い液肥を与えたりします。活着は良くて生育が旺盛になりますと、早朝に若い葉の周辺に水滴（浸出液）が着いています。

露地栽培の圃場巡回のときに、定植をしてもなかなか生育がよくならない場合をよく見ます。畝に張ったマルチの中を見ますと、株元かん水をしたところだけが湿っていて、その他の部分は真っ白に乾いているのです。この状態では根が伸びることが出来ません。すでにマルチを張ってしまっていますので、ホースに１ｍくらいの直管パイプを付けて、マルチの上から直管を差し込んで、水を畝に注入しますと回復します。

●ハウス栽培の定植後からのハウス内の温度管理

ハウス栽培は湿度、温度は露地と異なり、コントロールができます。キュウリの基本管理は次の水分と温度の駆け引きとなります。

定植後から本葉８～１０枚までの生育期間は水が多めで温度は高めで管理します。促成栽培の場合には、夜間の温度は加温ハウスであれば、ハウス内温度は１４℃前後の高めで管理します。無加温のハウスの場合の低温期の夜間はトンネルで被覆して、暖を取ります。無加温の場合にはトンネルだけでは気温が下がることもありますが、キュウリは最低気温として、短時間であれば３℃くらいまでは耐えますので、外気がマイナスの気温になってもトンネル内はプラスの気温が維持できます。被覆材１枚で３℃を高めることができます。ハウスの外張りとトンネルの被覆資材の２重被覆となりますので、外気温とトンネル内の気温との差が５～６℃になります。抑制栽培では気温は高く、夜温も高く推移します。かん水のやり過ぎに注意が必要です。

本葉が１０枚からの生育期間は水分を少なく、促成では、温度も低く管理することにより、草姿がガッチリとなります。この時期はキュウリ品種が持っている最低気温まで下げることができます。昔の品種では加温栽培の場合で、８℃くらいまでは耐えられます。最近の品種は、ワックス系のものが多く、高温管理が求められていて、１４～１５℃の温度が必要となります。

８節目に雌花を着けた最初の果実を収穫したら、それ以降の管理は水分を多く、温度も高くします。抑制も同様に収穫が始まったら水を与えます。促成栽培で、ワックス系の現在の品種は１５℃以上が必要となります。低い温度で管理しますと、果実肥大に時間がかかり、収量がなかなか増えてきません。

この定植から収穫始めまでの管理が後半の収量に影響を与えます。

日中のハウスの気温は１２時くらいまでは気温を高く維持します。２８～３０℃で推移するように換気で調節します。昔の方は午前中の蒸しこみで収量が上がると思い高い気温で管理する方が多くいましたが、３０℃以上の気温で管理しますと光合成で同化産物を作る量より呼吸作用で消耗する同化産物が多くなり、果実肥大が悪くなります。午後のハウス内の気温管理は２３℃と低めで行います。午後は呼吸作用を抑える目的で低くします。午後の換気が悪いと病気の発生も多くなります。無加温栽培の場合、３時過ぎで、ハウス内の気温を見ながら、１８～２０℃まで下がってきましたら、ハウスの換気を止めて保温をします。加温栽培では暖房機が入っていますので、１８℃近くまでハウスの換気をし、暖房機が動くと同時にカーテンを閉めます。

抑制栽培も９月下旬にもなりますと、気温も下がってきますので、促成栽培のようにハウス内の気温を調節します。

カーテンの開け閉めには注意が必要です。促成栽培の低温期において、朝、太陽光線がハウスに差し込みますとハウス内の気温は急激に上昇します。２５℃まで上昇したら、カーテンの一部を開けて、カーテン内の湿度とカーテンの上の湿度が大きく異なりますので、１０～１５ｃｍカーテンを開けて、空気を少しずつ入れ替え、時間が経過したら全面的にカーテンを開けます。夕方はハウス換気を止めますと、ハウスの気温は少し上昇します。その後気温を見て、１４～１５℃に下がればカーテンを閉めます。

無加温ハウスでの低温期の促成栽培において、トンネルの換気で初期生育をコントロールします。トンネルの開閉には注意が必要です。朝、太陽光線が差し込みますと、トンネル内の気温が急激に上昇します。トンネル内の湿度は１００％近くなっていますし、気温も高くなっています。一度にトンネルを剥ぎますと、急激な温度湿度の変化が起こり、葉焼けや芯止まりが発生します。トンネルの裾を１０～１５ｃｍ開けて、徐々に換気をさせ、しばらくしたら手をトンネル内に入れ、内部の湿度を調べ、下がっていればトンネルを除去します。トンネルの資材はビニールを勧めます。ビニールの方が湿度を保ちます。

抑制栽培の後半において、気温が低くなったらカーテンを使った方が収量も上がります。カーテンを早く閉めますとハウス湿度が高くなり、灰色カビ病や菌核病の発生が多くなります。湿度に注意が必要です。

※ハウスの温度管理は、キュウリの生育に大きな影響を与えます。キュウリは午前中に光合成を盛んにします。この時間帯はハウスの気温を高くします。２８～３０℃にセットします。まだ、午前中はハウスを締め切って高く保っている方が多く見受けられます。３０℃以上の気温になりますと、光合成はよく行われますが、キュウリも生きていますので、呼吸作用が増大します。人も気温が高くなりますと息が多くなります。気温が３０℃を超しますと、光合成で得られる同化産物より呼吸で失われます同化産物が多くなり、みかけの光合成はマイナスになり、キュウリの生育にはよくありません。午後のハウスは光合成の量は少なくなりますので、換気を２３℃程度まで下げて呼吸作用も少なくします。午後の換気が弱いと病気の発生も多くなります。

●水と温度での生育関係

ハウス栽培において、定植してからキュウリの生育を水と温度を使ってコントロールします。活着をよくして側枝をよく発生させるための管理について説明をしますと、温度を下げますと生育は鈍化します。水を与えますと生育がよくなります。定植から収穫までの水と温度の関係は次のようになります。定植直後は生育を進める必要があり、水を多く与えて温度は高めで管理します。この管理で根の伸長はよくなり、主枝の伸びもよくなります。この管理は本葉が８～１０枚まで続けます。このまま多くの水を与えて、温度を高めで管理を続けますと軟弱徒長のキュウリになります。本葉は８～１０枚まで生育したら、生育にブレーキをかけて、生育を抑えます。その抑えるためにはかん水を控えて、ハウスの夜温を低くします。この管理で節間は短くなり、どの節からも側枝が発生します。この水を少なく温度も低くする管理は主枝の最初の果実を収穫するまで続けます。よくある例として、9節目くらいに着けた最初の雌花が開花しますと早く収穫をしたくなり、水を与えて温度を高める方が多いですが、早めのかん水と温度を上げますと、果実の肥大に養分が流れて、主枝の中段から発生する側枝の出を悪くさせます。最初の果実を収穫した時点で、かん水を多くし、ハウス温度も高めにします。これ以降はかん水と温度は高めを続けて収量を上げていきます。

生育初期は水を多く温度は高く、生育を抑える時期は水を控え、温度も低く、収穫がはじまりますとかん水は多く、温度は高くします。この関係をすることにより長期栽培が出来ます。

◎整枝方法

●露地栽培の整枝

整枝は子蔓が伸びてくれば、２節で止めます。孫蔓は基本的には１～２節で止めますが、何本かは伸ばして草勢の維持に当てます。

アーチの肩まで蔓が伸びてきましたら、肩のあたりで伸びてきた蔓を摘みます。アーチの上部は開けておきます。太陽光線がアーチ内に注がれるようにします。風の通りもよくする必要があります。

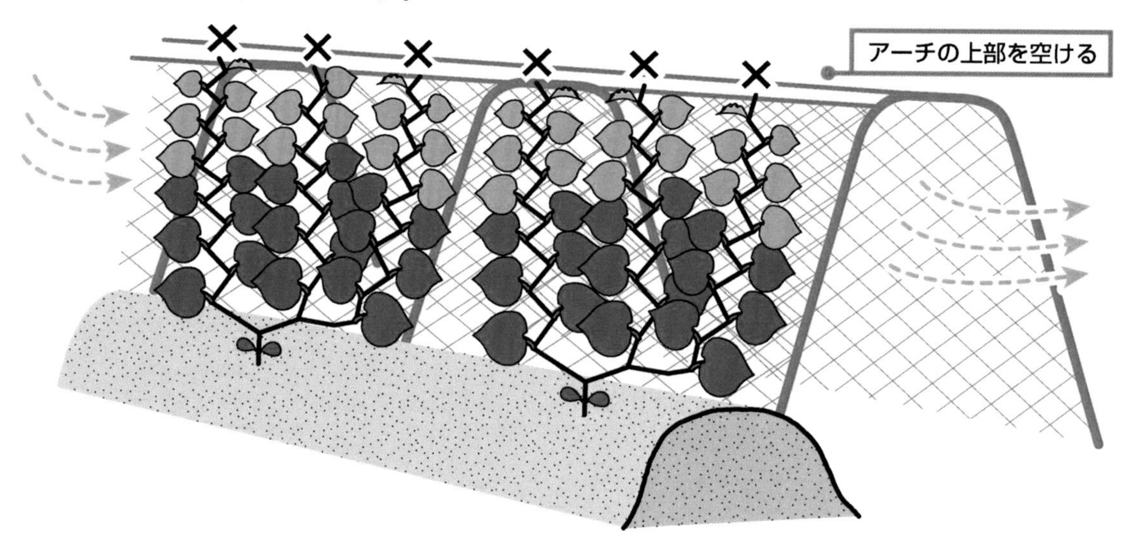

整枝の技術は果菜類だけの管理で、キュウリは枝を伸ばして生育をするのが本来の姿で、キュウリは成っている果実を収穫する野菜です。放任して枝を伸ばして栽培しますと、光合成で得られた同化産物が各器官に流れて、収穫となる果実に養分の流れる量が少なくなり、草姿は茂っていても収量が少なくなります。多くの果実を収穫するためには余分な枝などを摘んで、果実の方に養分を送ることが収量増に繋がります。そのために伸びている枝を摘むことを整枝と言います。キュウリアーチは限られた空間であるために、不必要な枝を摘み取り、コンパクトに仕上げる必要があります。

整枝はキュウリ栽培の良し悪しの分かれ目になります。うまく整枝をしますと長く栽培をすることができます。有効節数が多い栽培をしますと収量が多くなります。枝を摘まずに放任しますと、節数は多くなるように思われますが、伸ばした枝からは枝の発生が悪くなり、逆に節数が少なくなってしまいます。強い枝はよく摘むことで、新しい枝が伸び、次から次へと枝が発生していきます。弱い枝は摘まずに、少し放任して強い伸びになれば、何時までも伸ばすのではなく、摘んで強い枝を発生させます。

枝は更新させることが増収につながります。

※主枝の下枝整理は、よく圃場巡回のときに聞かれます。キュウリの枝の動きは、主枝の下段の側枝ほど旺盛な生育を示します。よく果樹栽培で言われる徒長枝に当たります。キュウリを植えて側枝を摘まずに放置しますと、下段（３、４、５節）から発生した側枝はすごい勢いで伸び、主枝の伸びより旺盛になります。その旺盛になった側枝のために、主枝の中段から発生する側枝が出なくなります。そのために、下段から発生する側枝は６～７節程度まで除去して、主枝の中段の側枝発生をよくします。下段の側枝除去にもポイントがありまして、すごく小さな脇芽（側枝）を指でこすって除去すれば簡単に除去できますが、草勢を強くする場合には、脇芽（側枝）の第一節間を３～５ｃｍ程度伸ばしてから摘み取りますと、根の動きもよくなり、株全体の生育もよくなります。側枝を伸ばし過ぎての除去は草勢にダメージを与えることになります。

有効な枝の摘み方ですが、通常、２節止めで摘んでいきます。理想な側枝の節間は７ｃｍ前後と言われますが品種によって多少異なります。ここで、短側枝の場合に、２節に摘んでよいかを考えます。この短側枝は２節で摘まずに、３、４節と伸ばして枝が伸びて節間が長くなれば摘みます。２節で摘む必要はありません。キュウリ栽培の経験が少ない方は伸びてくる枝をすべて摘んでしまいます。オール２節止めとなります。これは盆栽と同じで、生育が大きく落ちます。生育を旺盛にしなければ収量は増えません。キュウリの勢いを常に維持するには、どこか３か所程度に摘まずに伸ばす枝を設けて、いつまでも伸ばしておくのではなく、違う箇所から力強い枝が伸びてくれば、伸ばす枝を変えます。常に枝の更新を計りながら草勢を維持していきます。枝を摘む場合の注意ですが、節間の真ん中で摘むのではなく、節の近くで摘んで欲しいです。ハサミで摘みます。整枝作業が遅れて、長く伸びた側枝を戻し切りしますと、キュウリに大きな負担がかかり、草勢が弱くなり、尻太果の発生に繋がります。長く伸びてしまった枝は芯の近くで摘み、しばらく日数が経ってから戻し切りをします。

●露地キュウリの終盤の整枝・摘葉

露地栽培の主枝ピンチですが、キュウリアーチの肩の部分で摘みます。肩の部分より少し長めで摘み、肩で曲げて誘引します。アーチの上部は開けておきます。アーチの上部を開けておくことで、アーチ内の通気性をよくして蒸れこみを少なくします。

勢いのよい枝：芯が大きくて、巻ひげが長く伸びています。芯も大きくて上を向いています。このような枝は栽培の後半では摘まずに伸ばします。9月中旬ですから強い枝摘みは行いません。これからは気温も下がってきますので、アーチが茂るようにします。

老化した葉：葉色が濃く、葉に光沢が失われています。葉が展開してから2か月近く経っていて、光合成をしません。不要な葉ですから摘み捨てます。摘むことによりアーチ内に光が入り、通気性がよくなります。

●ハウス栽培の草姿作り

草勢を強く作ることが長期栽培に繋がります。キュウリ栽培で主枝の中間から発生する側枝の本数が収量の増減に繋がります。側枝の数が多いと収量は多くなりますので、栽培者の方は如何にして多く枝を設けるかに掛かってきます。側枝を多く発生させるには、主枝での収穫を多くしますと側枝発生は減ってしまいます。定植して生育してきますと、主枝に雌花が見えてきます。最初の雌花は第４節前後に着花（雌花）してきます。その雌花を摘まずに大きくして収穫をしますと、草姿が若いのに大きな果実を着けますと、キュウリの生育は鈍化し、側枝もほとんど動かなくなります。そのために主枝の低段には雌花を着けないように管理します。主枝の下段に着いている雌花は第８～第１０節まで摘果をすることにより、主枝の中段側枝発生をよくします。また、側枝は下段になればなるほど強くなります。第２、第３節目の側枝は主枝の伸びより勢いがよいので早めに摘みます。側枝の除去は第６～第７節まで行います。下枝整理も重要な作業となります。

ハウスの管理状況

第７～第８節から発生した側枝の管理ですが、基本的には２節止めとなります。しかし、定植後の活着が悪く、草勢の弱い場合には、側枝を摘む場合、下段を２節止めとせずに下から５本くらいは１節で摘み、それから上は２節止めとします。さらに生育が進み、孫枝は下段の側枝から発生したものは１節で摘みます。それから上の孫枝は草勢を見ながら摘んで行きます。キュウリの収量は節数が多いほど多くなります。孫枝をきれいに摘んでしまいますと、草勢が悪くなり、収量も少なくなります。中段から発生している孫枝は草勢の維持の働きもあります。放任した枝を力枝と呼びます。この力枝をいつまでも伸ばして置くのではなく、長く伸びて邪魔になれば摘んで、違う枝に更新しながら、１株に３本程度の力枝を設けていると草勢の維持に繋がります。

※整枝方法は露地栽培と同じですが、ハウス栽培ではスペースが少ないので、露地よりコンパクトに仕上げます。

◎追肥

●露地栽培の追肥施用

キュウリの生育が進むにつれて、根からの肥料吸収量は多くなってきます。キュウリが生育を保つために肥料を与えることを追肥と言います。

追肥は収穫が始まったら行います。追肥の量は１０アール当たり２０ｋｇ詰の化成肥料（追肥用）１袋を施します。追肥の間隔は７～１０日とします。

１０アール当たりの累積収量が１トンに必要な肥料成分量です。

窒素が２．４～２．７ｋｇ、リン酸が０．９ｋｇ、カリが３．７～４．０ｋｇとなります。石灰は３．８ｋｇ前後とかなり必要となります。

キュウリの果実肥大には、カリ肥料が特に必要となります。収穫が始まるころには元肥で施した速効性肥料は初期生育で吸収されていますので、果実の収穫が始まってきますと、肥料が必要となり追肥をすることになります。

キュウリの場合に収量をさらに上げるために肥料を多めに施すことが多いです。与え過ぎの追肥に注意します。追肥とは肥料ですが、肥料は塩と同じものです。多めの追肥は根に塩を与えると同じですから根傷みが生じて生育が悪くなってきます。

キュウリの生育が進むにつれて、根からの肥料吸収量は多くなってきますので、キュウリの生育を順調に保つための肥料を与えることが必要です。

追肥はいつも同じ量を施していますと、栽培が早く終了してしまいます。生育の前半では、根も若くて伸びもよいので、追肥の量も多く施しても草勢の衰えがなくて、順調に収量を上げていきます。しかし、後半では、根が段々と弱ってきます。弱い根に多くの肥料を施しますと、段々と草勢が悪くなり、枝の発生も鈍くなってしまい、果実肥大も悪くなり、栽培の終了も早くなってしまいます。草勢が弱くなってきたら、追肥で与える量も減らし、特に、果実肥大を促進させるカリ肥料の割合を減らした方が草勢回復にはよいです。

生育が悪くなったキュウリを回復させるには追肥と考えて施しますが、多めの肥料を与えれば早く回復すると思いがちですが、多めの追肥は草勢をより悪くさせます。草勢の回復には追肥の量を通常より少なくして、回数を多く施した方が回復を早くします。少量の肥料によって、根の動きがよくなり回復につながります。

※参考までに、キュウリ栽培で１０アール当たりの累計収量が１トンを収穫するのに必要な窒素の量は２．４ｋｇと言われています。露地キュウリで説明しますと、露地キュウリは１０アール当たり７００株程度の栽植本数です。単純計算をしても１株当たりの窒素の吸収量は３．４３ｇとなります。水耕栽培での試験で得られた１株当たりの窒素吸収量は１日に０．１４ｇ程度になります。露地キュウリで１トンの収量を上げるのに必要な日数は、次のようになります。６月中旬の定植したもので、７月中旬から収穫となり、９月末まで収穫したとしますと、収穫期間は約７５日です。露地キュウリの平均反収は１０トンとしますと、１トンの収量を上げるのに約８日を要

することになります。露地での１日の窒素の吸収量を計算しますと、０．４３ｇになります。しかし、みかけの窒素吸収量が０．４３ｇで、真の吸収量が０．１４ｇとしますと、約０．２９ｇは土壌から流亡や分解されたことになります。与えた肥料の７０％近くが利用されないことになります。キュウリが吸収する窒素より多めに与えることが生育には必要と考えられます。このことから、追肥の量は窒素成分で３ｋｇを施すことが言われています。

●ハウス栽培の収穫始めからの管理

収穫が始まったら、かん水の量を増やします。また、加温栽培であれば、夜間気温を２℃前後と高めにします。同化産物の転流の促進を図る目的で高めの管理となります。また、追肥も開始し、追肥で施す肥料の量は窒素肥料成分で３ｋｇ、カリ肥料成分３ｋｇとなり、草勢も強い時期ですから、肥料はＮＫ化成となります。一般的にはリン硝安カリ（Ｓ６０４）の追肥用がよいです。

追肥の仕方として、キュウリは長期栽培の野菜で、枝を伸ばしながら果実を収穫します。栄養生長と生殖生長を同時に行っています。そのために、常に肥料を与え続けなくてはいけない野菜です。

キュウリの追肥は収穫が始まったら行います。元肥で施してある速効性の肥料成分は草姿を作る段階で消費していますので、圃場に速効性肥料が少なくなっていますので、追肥として速効性肥料を与えることになります。必要とする肥料は窒素とカリでリン酸肥料は果実肥大には大きな影響を与えません。一般的にリン硝安カリ（Ｓ６０４）が多く用いられています。

２回目からの追肥は、収穫量を見て与えます。累計の収穫量が１０００ｋｇに達して、１０００ｋｇの果実を収穫するのに必要な肥料は、窒素成分が2.4ｋｇくらいで、リン酸成分が0.9ｋｇくらいで、カリ成分が3.9ｋｇくらいです。つまり窒素とカリが多く使われています。それ以外に石灰が3.8ｋｇを吸収します。キュウリ果実には石灰を必要とします。この吸収量から追肥の施す肥料成分量が決まっています。キュウリの追肥用の２０ｋｇ詰の化成肥料（Ｓ６０４）１袋分の成分が吸収量とほぼ一致しています。

キュウリは肥料を必要とする時には多く施しますが、必要としない時期に多く施しますと逆に草勢が悪くなっていきます。生産者は収穫が忙しい時期には追肥をしたくても時間がなく、草勢が弱って収穫物が少なくなってきますと収穫に費やす時間が短くなり、時間の余裕が出来て、収量が減ったのは肥料不足と思い込み、大量の肥料を与えることで草勢が回復して収量増に繋がると考えて追肥をしますが、これは大きな勘違いです。草勢が弱ることは、根の張りも悪くなっています。その弱っている根に大量の肥料を与えますと、根が塩漬けになるのと同じことで、根痛みが起こり、草勢が悪くなり、早く栽培が終了することになります。果形のよいものが多く成っている時期は追肥の間隔を短くし、草勢が弱い時には、追肥の量を少なくし、回数を多めに施します。根張りが回復して草勢が強くなったら、通常の追肥に戻します。

草勢が弱り、枝の発生も悪くなってきましたら、液肥の潅注もよいです。潅注をしますと、土壌中に肥料が入るのと同時に空気も入り、根張りをよくして枝の動きもよくなってきます。株と株の間に深さ２５ｃｍ前後で潅注をします。

※草勢が弱った場合の液肥灌注は効果が高いので、栽培中期からは行って欲しいです。雨が続いた時期には灌注が有効で、酸素供給剤の注入もよいです。

◎ハウス内の温度調整

●ハウス栽培の収穫時の温度管理

促成栽培での日中のハウス内の気温の調整は、午前中の気温は光合成の能力を高めるために高めの管理を行います。カーテンを使っている方は、カーテンを閉めていて、ハウス内の気温は２８℃程度まで上昇したら、カーテンの一部を開けます。開ける幅は１０～１５ｃｍとし、カーテン内の湿度とカーテン上部の湿度の差が大きいので、一斉にカーテンを開けますと、ハウス内の湿度が大きく変化してキュウリの葉が萎れたりしますので、カーテンの開閉に注意します。ハウス内の湿度の変化の差が少なくなってきましたら、カーテンを全開にします。気温は少し低下しますが、太陽光線でハウス内の気温は上昇を始め、２８～３０℃に達しましたら、天窓の開閉やパイプハウスであればサイドに換気をします。この際、ハウス換気は少しずつ行い、ハウス内の湿度の変化を少なくします。抑制栽培で終盤の管理でカーテンを使う方は促成栽培と同様な管理をします。

前ページで、定植後からのハウス内の温度管理で述べたように、光合成は気温が高くなればなるほど高まる訳ではなく、３０℃近辺が一番効果的です。キュウリは気温が上がるにつれて呼吸作用も上昇します。３０℃以上になりますと、光合成も多く行いますが、呼吸作用で消耗する同化産物量が多くなり、光合成で得られた同化産物より呼吸作用で消耗する同化物量の方が多くなり、差し引きしますと、みかけの光合成はマイナスになり、果実への転流量が少なくなり、収量の低下につながります。３０℃以上にならないような換気に努めます。抑制栽培はハウス内の気温は高くなり過ぎて、特に、気温の高いときは収量が減少します。また、高温期の抑制栽培では、奇形果の発生も多くなります。

午後は２３～２５℃とハウス内の気温を下げて行きます。キュウリは午後になりますと光合成の働きが少なくなり、蒸しこみましても同化産物を多く得られません。午後は呼吸作用で消耗する量を減らすために換気をしてハウス内の気温を下げる必要があります。

午後3時過ぎになり、換気をしていますと、徐々にハウス内気温が低下します。促成栽培で加温する暖房機がありますので、転流温度近くまで換気して、換気を止めてカーテンを閉めます。その後に暖房機が稼働することになります。無加温促成栽培では、加温が出来ませんので、２０℃くらいになれば早めに換気を止めます。カーテンがあれば、ハウス内の気温が１５℃近くになればカーテンを閉めます。抑制栽培では自然に任せるしかありません。

光合成と水分について説明をします。かん水が少ないと午前中に葉が萎れて光合成の働きは低下しますので、午前中にかん水を行うことも重要です。特に、抑制栽培では萎れやすいのでかん水が必要となります。午後のかん水には注意します。午後のかん水は多くの水分が土壌に残り、夜間の湿度が過剰となり、病気の発生を招きます。菌核病、灰色カビ病、べと病などの発生がみられるようになります。

低温期にはハウスの換気が出来ない日も多く、ハウス内の湿度も高くなり、ハウス内の空気も淀みます。そのために病気の発生に繋がります。最近はハウス内にサーキュレーターを何か所にセットして空気の流れを作ることにより、病気の発病を少なくすることが出来ます。抑制栽培で、大型ハウスの場合にもサーキュレーターの利用を勧めます。

加温促成栽培の暖房機のセット温度について説明します。キュウリは夜に日中で稼いだ同化産物を各機関に転流をさせますし、また、人間と同様に夜は眠ります。日没から１４～１５℃程度で5時間程度が転流時間となります。転流時間は設定温度を高く設定すれば短く、設定温度を低くしますと長くなります。その後は夜温を１２℃前後に下げてキュウリを休ませます。夜温をいつまでも高く管理しますと、草勢が段々と弱ってきますので、休ませる時間が必要です。

ハウス内の温度管理を要約しますと、朝に太陽が昇ってハウス内の気温が高くなってきます。ハウス内の温度が２８～３０℃まで換気をしません。この午前中の気温を３０℃くらいで管理するのを**光合成促進の時間帯**です。午後からは気温を下げて管理します。ハウスの気温を２３℃前後にします。この管理を１５～１６時まで行います。**呼吸抑制の時間帯**となります。この時間帯の気温を高めて管理しますと病気の発生も多くなります。その後、ハウスを閉めて保温をします。１５℃くらいまでハウスの気温が下がってきましたら、カーテンを閉め、暖房機も稼働します。暖房機の稼働から２２時までを１４～１５℃で維持します。この**時間帯を転流促進**と言います。その後はハウス気温を１２℃前後まで気温を下げます。朝まで低温で管理をします。この**時間帯を消耗抑制**と言います。ハウス内の気温を変化させて、無駄な消耗をなくし、より多くの光合成能力を高めて同化産物を得られるように管理をします。

※最近のハウスキュウリ品種はワックス系が多くなり、夜間気温の設定が高くなりました。１５℃が最低気温と説明しているメーカーもあります。しかし、夜温を高くしますと、収量は上がりますが草勢の弱りは早くなりますので、ある程度、転流温度以外は低めにすることをお勧めします。

◎摘葉

●露地栽培の摘葉について

摘葉とは、古くなった葉や枯れている葉、病気になった葉などを摘み取ることを摘葉と言いますが、その他に、生育が旺盛になり過繁茂の場合に草勢を弱くする目的で葉を摘み取る場合の摘葉もあります。本来のキュウリの摘葉は光合成をしなくなった葉を摘み取り、無駄のない同化物の流れにするのが目的です。葉には光合成能力と寿命とがあります。一般の摘葉は葉の色が黄化し、見た目に古く感じられたら摘み取るのが多いですが、葉には光合成を行う期間があり、その期間は葉が展開してから４０日前後と言われています。光線のよく当たる場所の葉はそれより長くの光合成能力がありますが、期間は限られていて、いつまでも光合成を行うことはありません。葉が緑色をしていても光合成が０の葉を多く着けていますと、呼吸作用が増大して、見かけの光合成量が少なくなり、果実肥大も悪くなってきます。この能力のない葉を積極的に摘むことを真の摘葉と考えます。摘葉をあまり行わない圃場のキュウリはよく茂っていて多くの果実が成っていると思いますが、よく見ますと果実は肥大せずに流れ、くず果の割合も多くなっています。無駄な葉が多く付いているのが原因です。

摘葉をすることで、アーチ内に風を入れて蒸れこみを少なくし、太陽光線を入れて、枝の更新にも繋がります。

葉には光合成能力の低下があり、葉が老化してきますと光合成をしなくなります。右の図は葉が展開し始めてから４０日程度経過したもの

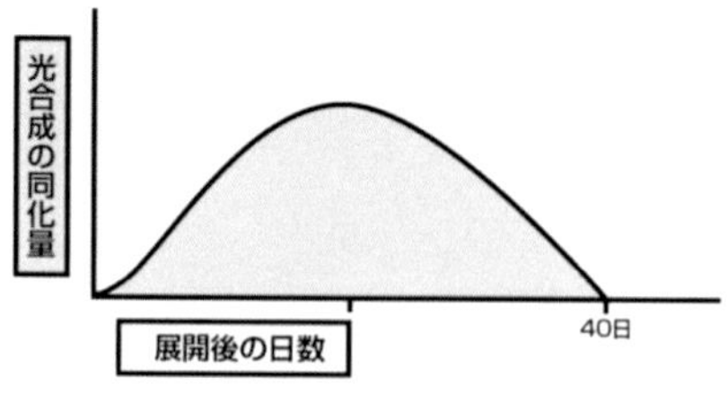

光合成の同化量
40日
展開後の日数

は光合成の能力がなくなることを示しています。

葉の寿命と葉の光合成能力とは違いますので、葉の寿命は2か月近くありますが、葉の寿命があるためになかなか黄化しません。葉が光合成を行う期間は短く、葉が展開して２０日前後が光合成のピークとなります。

青くても能力のない葉は摘むことがキュウリの収量を上げることに繋がります。

●葉のアーチ内での黄化

露地キュウリの栽培で、後半になりますと、アーチ内の葉が黄化して、さらに、枯れ上がってきます。生産者が常に摘葉をしていればよいですが、生産者も栽培の後半になりますと過労気味になり、摘葉に費やす時間が少なくなり、摘葉不足になります。そのために、栽培後半のアーチ内は枯れ葉が目立ってきます。老化葉が多くなりますと、葉傷も多くなり、罹病した葉も多く見られるようになります。アーチ内は茂ってきますので、通気性も悪くなってきます。枯れ葉が多くなってきますと草勢も衰えてきます。そのために栽培期間が短くなってきます。

摘葉を常に行っていれば黄化葉の発生も少なく、通気性も良くなるので栽培が長くできます。老化葉での傷がありますと植物ホルモンであるエチレンが発生して、アーチ内の通気性も悪くなり、健全な葉の老化が早まり、次から次へと葉が黄化し、枯れ上がってしまいます。露地キュウリで一番重要な管理は摘葉と言えます。

露地キュウリのアーチ内

栽培の後半でのアーチ内の過繁茂をさせない方法として、株間を広くして２、３本仕立てをすることです。親蔓１本仕立てでは、株間が狭くして植えます。そのために、枝の動きが旺盛で、枝同士が重なり合うのが早く、過繁茂になるのが早くなります。枝がゆっくりと動くような栽培をする必要があります。アーチ内の葉の黄化も遅れます。

●ハウス栽培の摘葉について

キュウリは枝を伸ばして収量を上げる野菜です。枝が伸びますと、それに伴い葉数も多くなっていきます。葉が多くなりますと混み合って通気性が悪くなり病気の発生に繋がります。摘葉にはさらに大きな働きがあります。葉の寿命と葉の光合成能力とは異なり、葉の寿命は黄色に変化するまでは生きています。露地栽培でも述べたように光合成能力は葉が展開してから４０日程度経過しますと、光合成をしなくなります。

光合成をしない葉を摘まずに残して置きますと、この光合成をしない葉も生きていますので、呼吸をしていて、多くの若い葉が光合成で得た同化産物（デンプン）を消耗してしまいます。光合成をしない古い葉を多く残して置きますと、キュウリの体内のデンプン量が少なくなり、果実の肥大が悪くなり、奇形果の発生が多くなります。それに枝の更新が遅れ、根張りも悪くなります。摘葉の少ない栽培をしていますと、早く栽培が終了することになります。

葉の展開速度は抑制栽培では葉が１枚展開するのに１日も懸かりません。促成栽培では温度も低いので、葉が１枚展開するのに３日懸かります。ハウス栽培の側枝の本数は２０本程度です。その側枝には葉が２枚ずつ付いています。親蔓にも葉が付いています。さらに孫枝にも葉が付いてきます。放置しますと株は葉で覆われてしまうことになります。随時、古くなった光合成をしない葉を積極的に摘みます。

※摘葉を考えている方に、病気の葉を摘むことや葉色が黄色くなった葉などを摘むことを摘葉と思っている方が多いです。果菜類は長期栽培になり、葉を常に更新しながら栽培をします。どの果菜類でも葉の光合成能力にも期間があります。大体、４０日前後で光合成の働きがなくなります。しかし、葉が黄化するまでには２か月近くあり、光合成をしなくなった葉は呼吸作用を行っていますので、光合成をしない葉が多く存在していますと、果実肥大が悪くなります。この光合成をしなくなった葉を摘むことが摘葉となります。以前、圃場巡回の折に、露地キュウリでアーチの中から外の人が見えるくらい摘葉をして欲しいと話して実行して頂いたら、収量が大きく伸びました。進んで摘葉をします。よく聞かれることに、１回に摘む葉は何枚程度と言われますが、強い芯が多くあれば５、６枚でもよいです。よく言われていることに、１日に３枚程度で３日おきと説明していますが、キュウリは最盛期には１日で側枝や孫枝などの葉が展開しますので１０枚程度増えます。１回に３枚で３日おきですと、キュウリ圃場は過繁茂になり、最終的には鎌で摘むようになります。茂る前に摘みます。

◎かん水方法

●露地栽培のかん水方法

キュウリは水が好きですから、常にかん水を考えます。かん水は朝に行った方が有効です。

かん水と光合成とは関係が深く、水分不足で葉が萎れていますと、光合成の働きが著しく低下します。キュウリの光合成は午前中に多く行い、午後には多くの光合成をしません。このことから午前中のかん水は有効となります。午後のかん水（夕方）は、アーチ内の湿度が高いままで夜になりますので、病気の発生につながります。

真夏の高温時には、土壌から多くの水分が奪われます。キュウリの真夏の水分吸収量は１株で、３リットル近くになります。十分なかん水を行い萎れないようにすることが必要です。

かん水は乾いたら行うのではなく、毎日、軽いかん水を行い、夕方までにある程度乾くようなかん水が有効です。

かん水を行うたびに、土壌は締まってきます。締まってきますと土壌中の酸素が不足して、根の張りが徐々に悪くなり、草勢の衰えを招きます。団粒構造をよくしたほうが土壌の締りが少なくて、草勢の衰えも少なくなり、栽培期間が長くなります。

水焼け症

水を与えれば生育がよくなると考えている方が多いですが、水より空気の方が生育には必要なのです。

団粒構造があまり発達していない圃場に、かん水を多く行いますと水焼け症が発生します。土壌のしまりやすい圃場での日中の萎れは水分ではなくて、土壌中の酸欠が大きな原因です。

※露地キュウリの盛夏には１株当たり１日で３リットル程度の水を吸収します。水が不足しますと葉が萎れて、萎れている間は光合成が大きく劣り、また、水は光合成で作られる炭水化物の原料にもなります。朝のかん水は効果が大きいです。

●ハウス栽培のかん水方法

キュウリは水が大変に好きな野菜です。果実の含水量は果実の重量の９５％が水分です。よく果実の尻が細くなっているのを見ます。水分不足が原因となります。水と光合成には大きな関係がありまして、光合成で作られるデンプンは空気中の炭酸ガスと水から作られています。水不足となりますと光合成で作られるデンプンの量が減少し、キュウリの生育にも大きな影響を与えます。水不足になりますと、日中に葉が萎れます。この萎れている間は光合成の能力が低下しています。萎れの発生が多い栽培ですと、成っている果実は尻細果になります。キュウリの光合成は午前中に多く行われるために、午前中に萎れが発生しないようなかん水が大事となります。当然、ハウス内の湿度も高い方が良いです。

かん水は毎日、朝に行うことが良いです。悪いかん水は一度に多くのかん水をして、しばらくは土が湿っているからかん水をせず、土が白くなってきたらかん水をする方がいますが、このかん水では根痛みがひどくなり、栽培の終了が早まります。

かん水で、もう１つ大事なことがあります。それはハウス内の湿度維持です。畝の間の通路が乾燥しますと、ハウス内の湿度が低下してキュウリの生育が悪くなります。外気温が高くなる時期にはハウス内の乾燥がしやすくなりますので、通路かん水をして湿度の維持を図ります。

※ハウスのかん水は春からのハウス内の乾燥に備えることです。ハウス内の湿度が低下しますと、キュウリ果実が尻細になります。通路にかん水チューブを設置して、日中の乾燥に備えて欲しいです。

●水と光合成

水は光合成で得られる同化産物の原料の１つで、炭水化物は炭素、水素、酸素からなっています。水は水素と酸素からなり、キュウリの葉の気孔から吸収されて、空気中の炭酸ガスと水素、酸素が光のエネルギーを使って、葉緑素の働きで同化産物を作ります。空気中の炭酸ガスは常に存在していて、葉に取り込むことは簡単にできます。しかし、圃場に生育しているキュウリに水分不足が発生しますと、キュウリの葉は水分不足になり、気孔からの炭酸ガスも減り、光合成が出来なくなります。光合成が出来ないと同化産物も当然出来なくなり、生育に必要な糖類が不足し、アミノ酸の合成もうまく行かなくなります。そのために生育が悪くなり、果実肥大も悪くなってきます。日中に萎れが発生しないようにキュウリに水分を提供し続ければ、キュウリの生育は順調となります。夏場の水不足には特に注意が必要です。

※水がないと光合成が成立しません。つまり水がないと生育が出来ないのです。キュウリの果実は９５％以上が水分なので、水不足にしないように管理します。

●水の働き

キュウリの体内に含まれている水分は全体の８０％前後で、水分がほとんどです。細胞の原形質は水分がほとんどで、その中に、色々な物質が存在しています。水分が不足しますと、原形質分離が発生して萎れます。さらに乾燥して水分が不足となりますと細胞は枯死してしまいます。細胞にとって水は生存に重要なものです。

水は根の根毛から吸収され、その水を吸収する際に、水に溶け込んだ肥料と一緒に吸収します。その肥料分を含んだ水は導管を通って葉まで送られます。その葉において、水と気孔から吸い込んだ炭酸ガスから同化産物を作り、根から水と一緒に吸収された肥料と反応して、アミノ酸などの有機物を作り、糖類と有機物で野菜は生育していきます。

キュウリを萎らせることは、生育を悪くしたり、枯死させたりします。また、土壌水分が少ないと肥料の吸収も出来なくなります。根から吸収できる肥料は水溶性である必要があります。

葉の気孔からの蒸散によって、キュウリの体内の水分が放出されれば、根から水を吸収して補っています。つまり、補うことにより水と一緒に肥料がキュウリ体内に吸収していくことになります。水の蒸散によって、根から肥料吸収が出来るのです。

◎露地栽培での敷き藁

●露地栽培での敷き藁について

梅雨が明けると、気温が高くなり、圃場も乾燥しやすくなります。また、マルチがしてある畝の地温も高くなり、根に障害を与えます。その気温が上がった時期には畝や通路の乾燥防止と地温の上昇を抑制するために、敷き藁をします。敷き藁は通路に行う方が多いですが、畝の上にも行い、畝の根を地温から守ります。マルチの種類でグリーンマルチを使っていますと、梅雨明け後の畝の地温上昇が激しくて、畝の表面に張っている根が焼けて枯れますから、特に、グリーンマルチを用いた方には敷き藁をして欲しいです。

通路に茂った「てまいらず」

藁などの確保が出来ない場合には、リビングマルチを利用して、敷き藁の代わりとして、リビングマルチを勧めます。リビングマルチとは麦類の一種で、野菜畑の畝などに播種して生育しますと、敷き藁の代わりになります。夏の気温が高くなる時期には枯れて敷き藁のような働きになります。

リビングマルチとして、カネコ種苗の「百万石」、「てまいらず」、「マルチムギ」の３品種があります。キュウリなどには「てまいらず」が多く使われています。7月ころの高温期になりますと、徐々に枯れていき敷き藁となります。また、雑草の抑草効果もあり、キュウリ栽培の後に播けば緑肥としても利用が出来ます。

使用方法は、キュウリアーチ内やアーチの外側に２０ｃｍの条播きをします。播種する時期として、キュウリ苗を植える前に行います。キュウリが伸びるに連れて「てまいらず」も生育して通路を覆います。

※露地キュウリ栽培で、アーチ内を中耕して、そのときに、待ち肥として緩効性肥料（ＩＢ化成など）を入れます。その中耕する時期の質問が多いです。遅く中耕を管理機で行いますと、通路に張り出した根を切断してしまいます。キュウリの生育に悪

い影響となります。定植して、活着しますと主枝が伸びて、本葉が８～１０枚程度にまで生育しますと、通路に根が張り出してきます。つまり完全活着（本葉が８～１０枚）と根が張り出す時期と同じです。それまでに中耕をして、さらに敷き藁をします。本来、敷き藁は完全活着後に行います。定植直後の敷き藁は地温の低下を招きますので根張り後にします。

◎露地栽培のマルチについて

●露地栽培で、高温時のマルチの影響（高温時のグリーンマルチに御用心）

マルチの大きな働きは、畝の乾燥を防ぐのを目的として多く用いられています。しかし、畝の地温の上昇を抑える効果や逆に低温期の畝の保温のために用いられています。気温は季節によって大きく変化します。その都度、畝内の地温は変動します。それによってキュウリの根は地温によって生育に影響を与えます。低温期でのマルチの効果は大きくて、保温効果により裸地より地温が高いために根張りがよくなります。一般に低温期の栽培では大変に有効な働きをします。特に、透明やグリーンのマルチは低温期にはよく使われます。中には黒マルチを使う方もいます。黒マルチは光線を透過しませんので畝の地温上昇には効果が有りません。

グリーンマルチは抑草効果や乾燥防止、保温効果など働きが多いので、生産者はどの作型でも使えると思っています。

グリーンマルチの効果と悪影響があります。低温期の栽培においては、畝の地温上昇、保温効果などで使われています。キュウリの栽培では６月上旬までは用いられますが、それ以降の栽培においては黒マルチを用いるべきです。６月にもなれば気温も高く、畝の地温も高くなっていますので、マルチの働きは乾燥防止が中心となります。

グリーンマルチを高温期に使っていますと、畝の地温が高くなり過ぎて根に影響を与えます。高温による根焼けが起こります。そのためにキュウリの生育が悪くなり、枝の伸びが悪くなって収量性が悪くなります。７月下旬の気温の高い時期でもグリーンマルチを張り続けていますと、キュウリの草勢が大きく悪くなっていきます。

気温が高くなってきましたら、グリーンマルチを剥がして、裸地にして地温の上昇を防ぎます。裸地にしましたら、かん水の量は多くなっていきます。グリーンマルチを剥がない場合には、畝の上に藁などを載せて地温の上昇を防ぐことが必要です。

キュウリの根の生育適温は２０～２５℃です。

※露地栽培で通路に藁を敷く方は多いですが、畝の上に藁を載せる方はすごく少ないです。畝の地温上昇を是非防いで欲しいです。最近の温暖化を考えて欲しいと思います。

◎露地栽培での防風対策

●露地栽培圃場の防風対策

最近、大きな台風が被害をもたらせています。キュウリ畑に風が当たる位置に防風ネットを張って風からキュウリを守っています。ネットを張るには、手間や費用がかかります。楽な方法として、カネコ種苗が提案しています「おおきいソルゴー」を勧めます。

キュウリ畑の風が当たる場所に、「おおきいソルゴー」を播き、大きく伸びたソルゴーが風からキュウリを守ってくれます。

「おおきいソルゴー」

「おおきいソルゴー」は草丈が３～４ｍにも伸び、倒れても時間を経過すれば、元の草姿に戻ります。風で折れることはありません。

ソルゴーの播種方法は、キュウリを定植する前に、畑の周辺に株間８～１０ｃｍの間隔で、１植え穴に２～３粒播けば終わりです。簡単な作業となります。

※最近の台風は大型化されています。キュウリに強い風が当たりますと、アーチが潰れたりします。また、強い風に当たりますと幼果に傷が付き、１週間程度はくず果ばかりの出荷になります。圃場の風の当たりのよいところに強風対策として考えて欲しいです。

◎収穫

●果実肥大

キュウリは播種後、夏の気温が高い時期には４５～５０日で収穫が始まります。厳寒期のハウス促成栽培では６５日前後で収穫が始まります。果実の肥大も気温において開花から収穫までの日数に大きな開きがあります。露地栽培では開花後５～６日で大きさが１００ｇの果実になります。厳寒期のハウス促成栽培では開花から１８～２０日経過しないと１００ｇの果実になりませ

収穫最盛期のパイプハウス

ん。果実肥大に及ぼす要因は、気温と水分が大きな影響を持っています。夏秋時期の露地栽培では、生産者は朝と夕方の２回の収穫を行います。気温が高い時期には果実肥大が速いので、朝だけの収穫では、次の朝には果実が大きくなり過ぎて、出荷規格外になり、出荷価格が下がるために生産者は１日に朝夕の２回収穫をします。

●出荷規格

出荷する場合に、キュウリをケース（段ボールのコンテナ）に１００ｇの果実を５０本詰めて出荷します。この規格はＡＳと呼ばれて、京浜出荷で一番高い値が付く規格です。規格のＡとは果実の曲がりが少ないもので、果長が２０～２１ｃｍの果実で反りの程度が１．５ｃm以内のものを指します。これ以上の反りがあるものをＢと呼びます。大きさを示すのがＳ、Ｍ、Ｌと段階があり、Ｍは１２０ｇ程度の果実を指します。この形状を示すものと大きさを示すものを組み合わせて出荷規格となります。出荷規格は２０以上になります。生産者は収穫したキュウリ果実を分類してケース詰めをします。この出荷作業に多くの時間をかけています。最近は機械選果の出荷が多くなり、生産者の労力の低減になっています。

●収穫作業

収穫作業は早朝から行われます。果実の大きさが２０～２４ｃｍになっている果実をハサミで果梗の部分を切って収穫をします。果実にはイボがありますから、収穫をする際に、果実の首部を指で挟んで、イボの部分には触りません。イボの部分を触ってしまうと、鮮度の低下が早まります。収穫には果実に傷を付けないように注意します。

◎奇形果の種類と発生要因

●奇形果について

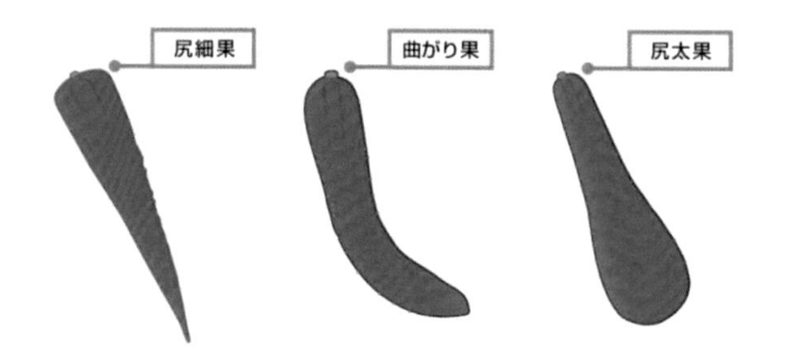

尻細果

乾燥が主な原因となります。空中湿度の不足と土壌中の水分不足で発生します。通路かん水でハウス内の湿度と高めることで防ぎます。草勢が強い場合もありますので、摘葉も必要です。

抑制などで、ハウス内が高温の場合にも発生します。

尻こけ果

ハウス内の気温が低すぎますと発生します。無加温栽培では発生が多いです。草勢が強い栄養過多でも発生が見られます。温度を上げることが必要となります。

尻太果

草勢の衰えが大きいです。収量が多くなった後に草勢が弱くなりますと発生してきます。気温が高いときには光合成能力が低下すると発生します（抑制栽培）。また、夜温が高いと呼吸作用が増大して発生します。梅雨や秋雨で日照不足になりますと光合成の低下で発生します。多かん水をして水分過剰になりますと、根の働きが悪くなり、水分の吸収が低下して光合成も低下するので発生します。草勢が茂っていて、一度に多くの摘葉・整枝をしますと草勢が著しく衰えて発生します。

曲がり果

光線不足で発生しやすいので、温度を低くします。多く収穫した後に発生しますから、摘果や葉面散布で草勢の回復をします。高温乾燥が強くなりますと、発生しますのでかん水などで湿度を上げます。密植や過繁茂で発生しますので、摘葉などで回復させます。肥料不足も影響します。

くくれ果

低温期でのホウ素欠乏により発生します。根張りが悪くなり水分の吸収が悪くなった場合にも発生します。また、根張りが悪くなった場合にも多く見られます。

空洞果

草勢が強くて、ホウ素欠乏による石灰吸収阻害から発生します。水分の吸収にも関係があります。

果実内変色果

果実の内部が褐色になる症状です。低温期に発生が多く、くくれ果と発生原因は似ています。ホウ素欠乏が主な原因です。

果焼け果

高温時のハウスで、太陽光線が強く当たった果実に発生しますが、多くは低温期のハウスで急激に温度が上昇しますと発生します。無加温促成栽培に多いです。露地栽培の終了に近い時期に低温障害として見られます。

流れ果

開花前の流れ果は草勢の衰えが激しい場合や光線不足が激しい場合などに発生し

ます。開花後の流れ果は光線不足や高夜温で発生しますし、栄養過多で、一種の樹ボケでも発生します。

裂果

無加温促成栽培などで、急激な夜間気温の変化で発生します。ハウス内の気温が一度に５～６℃低下しますと果実が裂けます。加温栽培では発生しません。

◎生理障害の要因

●生理障害

１．カリの残肥が多くあり、苦土欠になっている葉の症状

どのキュウリ圃場でも見られる症状です。土壌改良をして欲しいです。

緑肥の利用を勧めます。

２．苦土欠のひどい状態

この圃場は、以前からカリ過剰であったので、そのまま土壌改良をせずに栽培をしたため、激しく症状がでたと思われます。

３．右の写真はマンガン過剰症

最近、発生が多くなってきました。窒素の多い圃場において発生が多く、土壌の酸度が低いなどの複合的に条件が要因です。

４．ホモプシス根腐れ病

最近、東北地方にも発生が見られてきました。昔はハウス栽培で多く発生し、スイカが被害を受けていたが、キュウリにも発生しました。ハウスの場合には土壌消毒で防除が出来ましたが、露地のキュウリでは土壌消毒が難しく、現在では、土壌の酸度を高める方法を摂っています。発生しますと、収量が激減します。

５．くん煙剤障害（右の写真）

ハウスの促成栽培によく見られる障害です。ひどくなりますと、側枝の発生もしなくなり、株が枯れてしまいます。

６．ハモグリバエの食害

ハモグリバエの幼虫が葉の内部に侵入して、葉の組織を食べて、その食跡が葉に絵を描いたように見えるので、一般に絵描き虫と呼ばれています。

７．葉焼け症

定植直後に株元かん水が少ないと、晴天で光線が強いと葉の周辺が焼けてしまいます。

殺菌剤の散布をしませんと細菌が侵入して病気に繋がります。

８．くくれ果

草勢が弱ってきますと発生を見ます。根と水分の関係が大きく、根張りが弱って、水の吸収が悪くなりますと発生しますし、乾燥が長く続きますと発生します。

草勢の回復をして欲しいです。

9．右の写真は除草剤の影響

グリホサート系の除草剤をキュウリ圃場の周辺に散布して、土壌からグリホサートが吸収された場合にこのような症状がでます。最近、田んぼの除草剤を散布して、風によって飛来して、キュウリの葉に付きますと部分的に黄化します。

１０．石灰欠乏症（落下傘症）

露地栽培で多く見られます。気温の上昇により乾燥がひどくなり、土壌の酸性化が進みますと発生します。

また、肥料を多く施した圃場では、窒素とカリの濃度が上がり、石灰の吸収を妨げるために発生します。

●栽培後半の草勢の衰え

キュウリを水耕栽培と土耕栽培（通常の栽培）を比較しますと、水耕栽培はいつまでも草姿が若々しく、枝の動きもよいですが、土耕栽培では収穫が始まり収量のピークを過ぎますと、段々と草勢が弱くなってきます。この違いが草勢の衰えに関係があります。

水耕栽培は容器に養液を入れて栽培をします。養液は常に新鮮で、養液中には十分な酸素が溶け込んでいます。養液に含まれている肥料分も薄いために根にはやさしくなっています。それに比較して、土耕栽培では定植直後は土も団粒構造がよく出来ているので、水耕栽培と同じように土壌も新鮮です。初期生育はよくて順調ですが、収穫が始まって、追肥が始まりますと土壌中の肥料濃度が急激に高まります。収穫を始めた頃は根も若くて、与えられた肥料をよく吸収し、追肥を施すたびに収量が多くなっていきます。追肥も１週間の間隔で行われますと、根も少しずつ痛み出します。それに、キュウリは水を好みますので、かん水をよく行います。かん水は土壌中の間隙を少しずつ詰まり、土壌の間隙がなくなってしまいます。そのために、根の張りが悪くなってきます。水耕栽培では根が養液中にあり、抵抗なく根を伸ばすことができます。水耕栽培と土耕栽培では栽培の後半になりますと、根の伸びに大きな差が生じます。根から分泌される老廃物は僅かですが、土耕栽培では蓄積されますが、水耕栽培では、養液を常に交換しているために老廃物の蓄積が起こりません。土耕栽培は土壌の条件が悪くなり、キュウリは根の動き（張り）が悪くなり、若く生き生きした根が少なくなって、肥料吸収も悪くなります。根からの養分が少なくなりますと、地上部の草姿も悪くなります。それ以外に、もっと大きい問題があります。それは栽培管理で、老化葉の摘葉遅れです。老化葉が多く着いていますと、株全体の養分（同化産物）の消耗が多くなり、新しい葉の展開が遅れ、枝の発生や伸長も遅れます。そのために草勢の衰えがさらに進みます。

●生育の後半の酸欠に注意

キュウリは土壌中の酸素供給量の高い野菜です。ハウス栽培は長期に渡りますので、土壌が段々と固く締まってきます。根に酸素が行き渡らないと根の動きが悪くなり、草勢が弱くなっていきます。つまり枝の動きが悪くなり、収量も少なくなってしまい、くず果の発生も多くなります。

土壌の団粒構造が崩壊し始まり、土壌と土壌の間隙が少なくなり、根は徐々に酸欠状態に陥ります。天気のよい日ですと、葉が萎れて生育が悪くなってきます。特に、長期栽培をしている促成キュウリでは、かん水を行うたびに、土壌の酸欠がひどくなっていきます。土壌中の酸素供給量を高めるために、積極的に土壌に酸素を供給する必要があります。最近、粒状の酸素供給剤が販売され、元肥と一緒に土壌に混和しますと、４か月くらい酸素が土壌中に出し続けます。土が締まっても土壌中に入れた酸素供給剤の働きで、土壌中に酸素が十分に行き渡り、キュウリは萎れずに順調な生育を示します。

使用方法は簡単で、１０アールの圃場に、元肥と一緒に粒状の酸素供給剤を３０～４０ｋｇ入れて混和するだけです。

※長期栽培で、畝の間隙が少なくなり、根の動きが悪くなった場合に、土壌灌注も有効です。酸素供給剤と液肥を混ぜて深さ２０～３０ｃｍの位置に灌注することで、土壌中に酸素が行きわたり、新しい根が張り始めます。

●酸素供給剤によるキュウリ栽培の効果

露地キュウリ栽培で、４月に元肥と一緒に粒状の酸素供給剤を投入して、５月下旬に畝を作り、６月上旬にキュウリを定植しました。定植して梅雨が長くて、１か月以上も続き、長雨で、太陽の光がほとんどなく、畑には水が溜まっている状況でした。７月の中旬になりますと梅雨が明け、気温が急上昇し、雨はほとんど降らなくなり、どの露地キュウリも生育が悪くなっている悪環境の中で、粒状の酸素供給剤を投入していたキュウリ畑は順調な生育をしていました。

粒状の酸素供給剤を投入した露地キュウリには果形のよいキュウリ果実が多く収穫出来ました。根張りの良さが果形にも現れたとも考えられます。また、茂っている葉も暑さにおいても枯れませんでした。根張りが旺盛になったために、吸水の力が強くなったと思います。

粒状の酸素供給剤によって土壌中の酸素が常に供給されているために、根の動きが良いことになります。露地キュウリ栽培には粒状の酸素供給剤が必要です。

◎病気の発生と予防

●重要な病気

褐斑病

発生は気温の高い時期が多く、発生すると病斑の広がりが早いです。古い葉から発生します。病原菌は1年以上土壌に生存していて、一度発生すると毎年発生します。風によって菌が運ばれて拡散します。発病する前から農薬の予防散布が効果的で、病斑を見つけたら、まず摘んで捨てます。

炭疽病

発生する時期は湿度の高い時期に多く、発病する時期は、育苗や栽培中期のアーチの内側に多いです。病斑は灰褐色で、褐斑病より灰色気味で、病斑は褐斑病よりはっきりしています。予防として、アーチを混まないよう摘葉して通気性をよくします。湿度の高くなった時期には農薬の予防散布を勧めます。

この褐斑病と炭疽病はハウス栽培でも大きな問題となっています。農薬の予防散布をすることにより、病気の発生を抑えることができます。病気が発生してから、治療剤となる農薬を使っても元にはもどりません。

●病原菌の侵入

糸状菌のキュウリの病気として、褐斑病、黒星病、炭疽病、べと病、うどんこ病、などがあります。最近、褐斑病の発生が多くてキュウリ生産者には大きな問題になっています。

糸状菌は空中を飛散して、キュウリの葉に付着します。付着した胞子は付着器を伸ばして細胞壁から細胞の内部に菌糸を伸ばしてきます。細胞内に菌糸が増殖しますと、その細胞は死に至ります。菌糸は隣の細胞内に入り、次から次へと侵入して、キュウリ細胞が枯れて病斑となり、病気として確認されます。

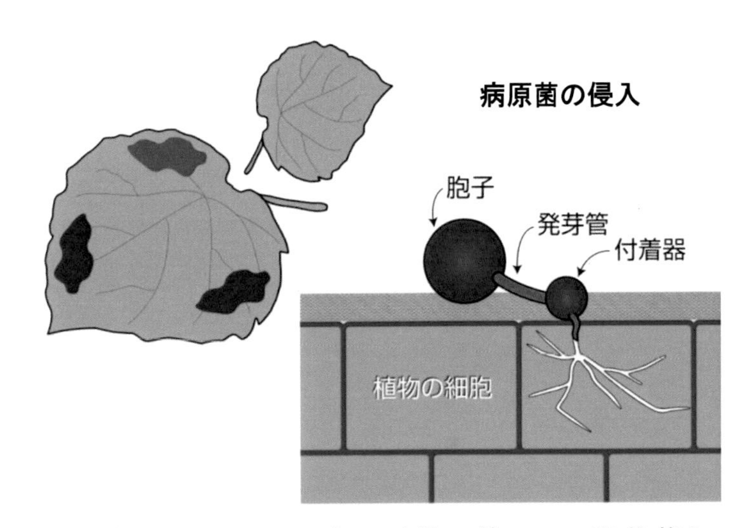

病原菌の胞子がキュウリの葉の表面に付いたときに、胞子が葉に着いて、発芽管を伸ばし、その先に付着器から菌糸が細胞内に侵入します。菌糸が細胞内に侵入して、菌糸が細胞内のアミノ酸を餌にして増殖し、細胞を死なせて病気の発生となります。次から次へと細胞に菌糸が侵入して病斑となります。

●窒素と病気

窒素の多用により病気の発生は高まります。窒素を多く与えますと、キュウリの細胞が大きくなります。1枚の葉の大きさは異なっても葉の細胞数はほとんど同じです。窒素多用により大きくなった葉の細胞になります。つまり、葉において、水と炭酸ガスを材料に、光合成で得られた同化産物と根から吸収された窒素からアミノ酸が作られ、その中のトリプトファンがあります。窒素を多く吸収されますとトリプトファンの量も増えてきます。トリプトファンは細胞肥大をさせる植物ホルモンのオーキシンの前駆体です。キュウリの葉内にオーキシンの量が増加して細胞肥大が起こり、肥大した細胞は細胞壁がもろくなり、病原菌の菌糸が侵入しやすくなります。そのために、病気が大発生します。窒素多用は病気に繋がります。

●農薬での予防について

農薬には、予防剤と治療剤があります。予防剤の働きは、野菜に農薬を散布しますと、葉や茎の表面に付着して、葉や茎に付着している病原菌が細胞内に侵入する前に効果を発揮します。胞子から伸びる菌糸を細胞内に侵入するのを阻止する力を持っている農薬です。細胞内に侵入した菌を殺菌する力は持っていません。

予防剤の中では、銅剤の残効が長く予防効果は高いです。銅剤には治療効果は期待できないので予防剤として使って欲しいです。銅剤は薬剤耐性が付きにくい農薬でもあり、長期間に渡って使用することが出来ます。

予防剤の特徴として、病原菌の胞子の発芽を阻害します。病原菌の胞子が葉や茎に付着して、菌糸が侵入する前に散布すると効果があります。カビや細菌など幅広い病原菌に効果があります。予防剤は薬剤耐性が付きにくいです。展着剤はパラフィン系の固着剤が有効です。

銅剤は、キュウリの葉の上に薄い被膜を作り、そこから徐々に放出される銅イオンにより、キュウリを病原菌より保護します。

キュウリの予防剤には、カビ、細菌に効果がある予防剤として、銅剤、デランK、**オリゼメート**があり、カビ全般に効く予防剤として、ダコニール、ダイセン、オーソサイド、ユーパレンがあります。疫病やべと病には効果がありませんが、多くのカビ類に効果があるトップジンM、ベンレート、ロブラール、スミレックス、ロニランなどがあります。

ローテーション防除について、カビ、細菌の予防を目的にする場合には、①「銅剤」、②「ダコニール」、③「マンゼブ剤」、④「ユーパレン」の組み合わせが有効です。この順番で散布します。

●銅剤農薬の効果の実証試験

農薬としての予防効果が高い銅剤がキュウリに侵入する病原菌を抑える効果と、病原菌が侵入してキュウリに病斑を形成して、その病斑からさらに病気が進行することを銅剤が抑える効果も確認するために、キュウリ栽培をしている生産者に銅剤を中心とした農薬散布をお願いして、その効果を確認しました。

その実証試験を行ったのが、露地キュウリ栽培では、宮城県、山形県、長野県の３名の生産者とパイプハウスの促成栽培の群馬県の生産者１名の計４名の方にお願いして行いました。４名の栽培中期に伺って病気の発生状況を見せて頂きました。４名の栽培しているキュウリには病気の発生が少なく、病気になって病斑がみられてもそれ以上に病斑が拡がっていないことが確認できました。４名の生産者に話を伺っても病気の発生が以前より少ないと話され、病気の拡がりも少なくなっていると話されました。銅剤プラス殺菌剤（ジマンダイセン、ダコニールなど）の効果を生産者は確認されていました。

予防農薬散布の方法は、キュウリを植え付けて活着した時点で、銅剤を散布します。その後１週間から１０日後に殺菌剤を散布し、さらに、１週間から１０日後に銅剤を散布する順に繰り返して散布します。特に、「Ｚボルドー」の銅剤は散布回数の制限がないので、大変に使い易い農薬でもあります。

●定期的な銅剤の予防の効果

銅剤などの予防散布をしますと、罹病して病斑が出来ても病斑の広がりが抑えられています。さらに、ジマンダイセン水和剤による菌糸の増加も防いでいます。

少しの褐斑病の発生がみられますが、銅剤などで広がりを抑えています。

発病が抑えられなくても広がりを抑えることが出来ますので、定期的な予防散布は必要です。

●全身獲得抵抗性（SAR）

全身獲得抵抗性についての説明をします。１９７５年にアメリカ合衆国のクッチ氏がキュウリを素材にして、ＳＡＲ誘導のモデル実験をしています。キュウリの苗の第１葉だけに炭疽病菌を接種して病斑を作り、その株が生育して、その株に炭疽病菌や黒星病菌などを株全体に接種（散布）しても上位葉にはこれらの複数の病害の発生が抑制させたとの報告がありました。つまり複合抵抗性が現れたことになります。植物も動物同様に、一度、病気に感染しますと抗体が出来て、免疫による生体防御機構が備わります。原理は違いますが、植物にも一度病原菌に感染しますと、二度目の感染に対して抵抗性を示すことをＳＡＲと言います。

１９９７年にイスラエルのロベニ氏のグループはキュウリのうどんこ病に対する無機元素で起こるＳＡＲを観察しています。色々な無機元素をキュウリの第１葉に処理して、上位葉でのうどんこ病の発生率を調べています。その結果、ケイ素、リン酸塩、マンガン、銅などが上位葉でのうどんこ病の発生を抑制したことが確認できたと報告しています。さらに、第３葉に処理しても同様な結果になったとも報告しています。

銅について、銅がＳＡＲの誘導物質なのかを調べた試験が、１９９９年にコロム氏らのグループがブドウの灰色カビ病の実験を行っています。ブドウにボルドー液や水酸化第二銅を散布し、この農薬にはもともと灰色カビ病の殺菌作用の他に、植物の防御機構を活性化する作用も認められています。銅にも生体防御反応を誘導する物質と考えられると報告しています。また、コロム氏は収穫後２１日目の果実にボルドー液や水酸化銅を頒布して、無処理の果実と比較し、銅剤を処理した果実には細胞構造には影響がなく、無処理の細胞には影響を受けていました。銅剤を処理した果実にはファイトアレキシン類などの物質の濃度が高くなっていて、銅は植物内の防御機構を誘導する物質となっていました。イネにおいてもボルドー液を散布すると、ファイトアレキシン類の生成をさせる働きが銅にあるとの報告がありました。

キュウリは病原菌が感染するときや感染した後に新たに低分子の抗菌性物質を合成し、それを植物体内に蓄積させます。この抗菌物質のことをファイトアレキシンといいます。ファイトアレキシンは健全な植物には含まれていません。ファイトアレキシンは侵入した病原菌の生育を阻害するとともに、病斑がある程度以上に拡大するのを抑制する作用も持っています。ファイトアレキシンは感染した植物から得られていて、その化合物にはテルペン類、フラボノイド類、フラン誘導体があります。

塩化銅を含んでいる農薬にはＳＡＲを誘導する効果があることが知られています。

この塩化銅のＳＡＲ誘導が青森県での露地キュウリで使用した「ベフドー水和剤」、「カッパーシン水和剤」などの塩化銅が含まれて農薬が病気に対して抵抗性が獲得されて病気の発生が少ないと考えられます。

この圃場に３つの農薬を散布したので、予防効果、増殖抑制、全身獲得抵抗性と３つの病気に対する働きになり、栽培の終了まで病気の発生がなかったと考えられます。

病気を抑えるには、定期的に予防農薬をローテーションで散布することで病気の発生を防ぐことになります。治療剤の農薬では、一度感染して病気が発生してしまうと、元通りに回復することは大変に難しいです。

●古くから使われた銅剤

今から４０年以上前にキュウリ生産者は、定植して活着した若いキュウリに銅剤を散布して、葉が銅剤で白くしていました。この時代の生産者は銅剤の予防効果が強いことをあまり考えていません。銅剤には強い殺菌力があることと、葉を硬くすることで病気にかかりにくいと考えて銅剤を散布したのです。この銅剤散布は予防効果の考え方からみますと正しい農薬散布になります。最近は銅剤を初期から使うと薬害のことを考えて行わない生産者が多くなっています。最初の１回目の農薬散布には銅剤を使うことが必要です。また、全身獲得抵抗性（ＳＡＲ）を誘導する効果もありますので、是非、最初の農薬散布は銅剤を使って欲しいです。

●防除効果の実例

青森県の露地キュウリ圃場で「ほっきこう１１３」（カネコ種苗）には病気の発生が見られません。９月６日と１０月１１日の２回伺って写真を撮りました。その圃場の生産者の方に防除に使っている農薬を聞きました。一般的な農薬で、「ペンコゼブ

水和剤」、「ベフドー水和剤」、「カッパーシン水和剤」の３種を主に使っていると言われました。この３種類の農薬はいずれも予防剤です。特に、「ベフドー水和剤」、「カッパーシン水和剤」は銅剤で、カビ類、細菌類の全般に予防効果のある農薬でした。「ペンコゼブ水和剤」はカビ全般に予防効果があります。この３種類の予防剤を使うことで、褐斑病、炭疽病、黒星病の病気の予防となります。銅剤は散布した後の予防効果が他の農薬より長く続きます。他に、予防剤以外に「ペンコゼブ水和剤」は亜鉛を持っている化合物で、亜鉛は細胞内にあるアミノ酸をタンパク質に変える働きがあり、この亜鉛が欠乏しますと、タンパク質の合成が出来なくなり、細胞内にアミノ酸が多く存在することになります。病原菌が侵入し始めて、細胞内に菌糸が入り込み始めたときに、細胞内にアミノ酸が多く存在していますと、菌糸はアミノ酸を餌として増殖を始めます。「ペンコゼブ水和剤」を散布することで、常に、亜鉛が細胞に供給されて、順調にアミノ酸からタンパク質に変えることで、菌糸の餌がなくて増殖にならず、病気の進行を抑えることとなります。

また、「ベフドー水和剤」と「カッパーシン水和剤」には塩化銅が主成分で、塩化銅には野菜の病気に対して、全身獲得抵抗性（ＳＡＲ）を誘導する物質で、病気を野菜自身が抵抗性を示すことになります。ＳＡＲを野菜が獲得しますと、褐斑病、炭疽病、黒星病に掛かりにくくします。

この圃場に３つの農薬を散布したので、予防効果、増殖抑制、全身獲得抵抗性と３つの病気に対する働きになり、栽培の終了まで病気の発生がなかったと考えられます。

病気を抑えるには、定期的に予防農薬のローテーションを組んで散布することで病気の発生を防ぐことになります。治療剤の農薬では、一度感染して病気が発生してしまうと、元通りに回復することは大変に難しいです。

※青森県のキュウリ圃場を２年連続して見させて頂き、毎年、病気の発生が少なく、病気の予防を中心に農薬散布をさせていたことが分かりました。特に、銅剤の予防効果は大きいものがあります。

●自然界での耐病性の獲得

野菜は自然界で、放置した栽培をしますと、ほとんどが病気に罹病します。そして、枯れてしまいます。すべての野菜が罹病して枯れてしまったら、地球上から野菜はすべて姿を消すことになります。しかし、昔から野菜は病気になっても生き続けて現在も野菜が存在しています。

以前、自然農法を研究している方にお会いしたときに話を伺いました。小笠原諸島に自生している野菜についてでした。太平洋戦争前は小笠原には人が住んでいて、畑で野菜を作っていました。その後、敗戦後にアメリカの統治下になり、野菜栽培をしなくなりました。その栽培をしなくなっても残っていた野菜は自殖しながら生育を続けていました。３０年以上経過して日本に返還され、小笠原に自殖していた野菜の子孫を調べますと、以前作った野菜とは異なり、変化をしていました。病気に対して農薬の防除がない中で生育をしていたため、生き残った野菜は病気に強くなっていました。つまり、野菜が病気に罹病して、その中に病気に耐える野菜ができて、その野菜が世代を繰り返して病気に対する抵抗性を持つことになったと聞きました。野菜も病原菌が侵入してきますと、その病原菌に対して若干の抵抗性を獲得して、病気に耐えられるようになります。ＳＡＲを持ったことになります。

●病原菌の感染で細胞壁の強化

細胞壁にはさまざまな物質が蓄積しています。その１つであるフェノール化合物のリグニンが多く蓄積し、細胞壁の機械的強度を増しています。このような細胞壁をリグニン化したといって、水や病原菌の侵入を防いでいます。さらに表皮細胞において外界に接する細胞壁には、クチクラ層を形成していまして、このクチクラ化も水の蒸発や病原菌の侵入などを防いでいます。

植物に病原菌が感染しますと、細胞壁のリグニン化により硬くなります。硬くなりますと物理的な防御壁となって病原菌の菌糸伸展を防ぎます。リグニンは野菜の細胞壁に沈着すると組織を木化させます。病原菌の攻撃を受けると、病斑部の柔組織細胞壁にリグニンが沈着することが分かってきました。

キュウリにおいて、病原菌が感染しますと、防御機構が働いて細胞壁の強化が起こります。病原菌の侵入する前に、農薬によって防御機構を働かせれば病気の発生は起こりにくくなります。銅剤などでリグニンの蓄積が増加すると思われます。つまり、キュウリ生産者が昔から銅剤を散布して葉を固くすると言われています。これが銅剤での葉のリグニン蓄積となります。

窒素過多でキュウリの葉が大きくなった場合に銅剤を散布して、葉を固くすると話される生産者が多いですが、この葉を固くすると病気にかかりにくくなると言われています。これは葉にリグニンが銅剤によって蓄積されるために病気の発生が減ると思われます。栽培上、正しい管理と言えます。

●石灰の病気に対する効果

キュウリでは、葉の表面が白くなるくらい苦土石灰をかけてみたところ、難病の褐斑病はピタリと止まりました。褐色の病斑の跡は残りますが、病斑のふちが硬く固まって、そこからは病斑が広がらないとの結果があります。

石灰を葉に施用して酸性を改良し、ｐＨを中性に近づけると有害なカビ（糸状菌）が減り、細菌や放線菌が増殖しやすくなります。フザリウムをはじめ多くの病気はカビによるものが多いから、葉の酸性改良で中性にすることで病気を減らすことができます。

葉に石灰施用することでカルシウムがよく吸収され、ペクチン酸と石灰が結合してできる葉の細胞壁が丈夫になります。カルシウムが欠乏するとこのペクチン質を主成分とする層が薄くなり、病原菌が侵入しやすくなります。また細胞壁の薄い細胞では、糖などの低分子細胞質成分が細胞外へ出やすくなり、外部に出たこれらの成分は病原菌の養分になり、病原菌の増殖がしやすくなるといわれています。石灰を十分に吸収して細胞壁がしっかりしていれば病気になりにくくなります。細胞壁を厚くする石灰の肥料効果によるものです。

病原菌がキュウリ体内に侵入してきたとき、キュウリはこれに対抗するために、過敏感反応を起こして抗菌物質を生成することが知られています。過敏感反応とは、病原菌が侵入してきたとき、これに冒された細胞を取り囲むように壁を作って封じ込めようとする反応です。この壁が見えるようになったのが病斑です。そして、この壁を打ち破って広がろうとする病原菌に対しては、ファイトアレキシンと呼ばれる抗菌物質を作って病原菌の侵入を防ごうとします。抵抗性品種は一般に、こうした抵抗力を発揮する能力が高い野菜です。

カルシウム含量が高いトマトに青枯病菌を接種しても発病しないという試験に注目しますと、宿主の抵抗反応におけるシグナル伝達や菌の増殖・移行の制御に水溶性カルシウムが何らかの形で関与していると考えられます。

植物体のカルシウムは通常、細胞外の細胞壁や液胞中に多く存在し、細胞質内にはごく少ないです。ところが、病原菌の侵入などの刺激が加わると、細胞外や液胞中に貯蔵されていたカルシウムがどっと細胞質内に流れ込み、わずか１～２分で細胞質内のカルシウム濃度が１００倍以上になるといわれます。そのカルシウムやカルシウムと結合したタンパク質が各種の酵素を活性化させ、抵抗性を発現させると考えられています。

一般の植物個体でも細胞質外のカルシウム濃度が高ければ、細胞質内へのカルシウム流入が多くなります。作物の病害抵抗性発現がカルシウムにより強化されます。さらに、イネのイモチ病における過敏感反応に、カルシウムイオンが情報伝達に重要な役割を果たしています。

石灰には溶菌効果があり、石灰を施用すると土壌中の水溶性チッソが増加し、これに刺激されて休眠状態の病原菌の厚膜胞子が発芽します。しかし、病原菌からの発芽管は石灰のアルカリ下で溶解するものが多く病原菌を死滅させます。

※よく言われることに、トマトに石灰の粉を散布すれば病気が治ると言われたことがあります。石灰は細胞の強化をすることに働くことが分かります。石灰にも銅と同じ全身獲得抵抗性を誘引する働きがあることを知りました。

●石灰と窒素

窒素肥料で生育が旺盛になった葉の細胞は大きくなっていきます。窒素肥料が多く与えますと、石灰の吸収を妨げることになり、キュウリは石灰欠乏症を呈します。カルシウムがよく吸収されていますと、ペクチン酸と石灰が結合してできる葉の細胞壁が丈夫になっていますが、カルシウムの吸収が窒素に抑えられて欠乏することにより、ペクチン質を主成分とする層が薄くなり、病原菌が侵入しやすくなります。窒素肥料を施用する場合には量を制限して、石灰吸収を阻害させない窒素肥料で、細胞壁の構造は薄くせず、病原菌の侵入を抑えます。

●リン酸と病気

以前からよく言われています。キュウリなどの野菜の葉が大きくなってしまった場合に、リン酸の肥料を散布すると葉の肥大を抑え、葉が硬くなると農家はリン酸肥料を葉面散布していました。また、病気にも強くなるとも言われています。リン酸は抵抗性を誘導する物質と言われています。このリン酸によって、キュウリなどの野菜が全身獲得抵抗性（ＳＡＲ）を持つと考えられます。昔から慣習的に行われていた技術は正しかったと思われます。

●頑固な病気が発生する前に予防

最近、露地キュウリにおいて、褐斑病、炭疽病、黒星病など一旦発生すると防除が出来にくい病気です。この３つの病気は栽培の上で特に困っています。どの病気も糸状菌で、カビの一種です。空気中を漂っている胞子が葉の表面に付着物質を葉に付けて、胞子自体を付着させ、胞子から発芽管を伸ばしてその先から付着器を葉に付け、葉の表面を破り、菌糸が細胞内に入って、その菌糸が細胞内で増殖します。発芽管が胞子から伸びるのに圃場の環境が関係しています。褐斑病は気温が高い時期に胞子から発芽管を伸ばしやすくなります。炭疽病は湿度が高い時期に発芽管を伸ばしやすくなります。菌の種類によって環境の違いがあります。病原菌はどの圃場の空間に漂っていますので、葉に存在していても発芽管を伸ばすことを抑えて、付着器から細胞に侵入することを抑えれば病気の発生を防ぐことが出来るのです。また、胞子が葉に付着させなければ発病はしないのです。予防剤である銅剤が葉の表面に付着して、銅剤の銅イオンが保護することも分かってきました。

病気の発生する季節などを知ることと、発病する条件的な環境も知っていれば、その条件に合ったときに予防剤の散布が効果的になります。また、キュウリを定植した時点から定期的に予防剤の散布も効果的です。

付着器から菌糸が細胞内に侵入するときに、細胞壁を破る必要があります。細胞壁を破るのに必要な物質が細胞壁の成分であるペクチン質を分解することで、細胞壁を破り内部に入って行きます。このペクチン質を分解するのがペクチナーゼと言われる酵素です。このペクチナーゼの働きを抑えるものの１つがタンニンです。ペクチナーゼの働きを抑える物質を散布することで病気の予防となります。

◆著者紹介

前田泰紀（まえだ　やすのり）

１９５０年（昭和２５年）愛知県名古屋市に生まれる。

名城大学大学院農学研究科（園芸学専攻）を修了。農学修士。

修了後、埼玉県のキュウリ種子専門メーカーの「ときわ研究場」に就職、その後、群馬県の総合種苗メーカーの「カネコ種苗」に転職、２０２０年に退職した。

在職中はキュウリの育種と一般野菜の栽培指導をした。

育成したキュウリ品種の「南極１号」、「トップグリーン」で、２回の農林水産大臣賞を受賞した。

野菜の指導で、各地を廻って野菜の栽培を講習した。

キュウリ栽培　―キュウリ栽培全般（露地栽培、ハウス栽培）―

2020年12月15日　初版第一刷発行

著　者　前田　泰紀

発行者　山本　正史

印　刷　わかば企画

発行所　まつやま書房

〒355-0017　埼玉県東松山市松葉町3-2-5

Tel.0493-22-4162　FAX　0493-22-4460

郵便振替　00190-3-70394

ISBN978-4-89623-149-6　C0061

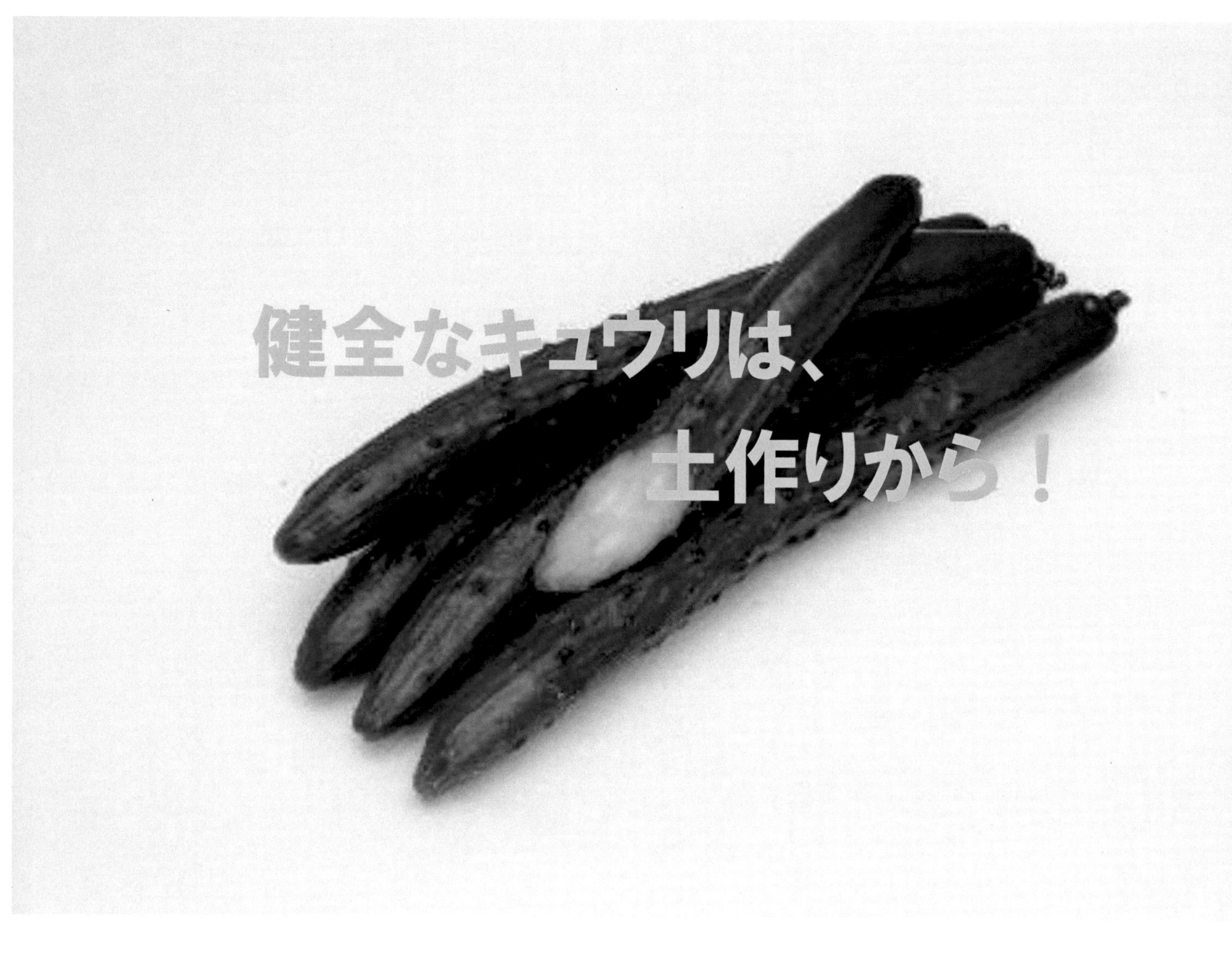
健全なキュウリは、
土作りから！